Éditions Guérin
Chamonix

Dominique Potard

Le Port de la Mer de Glace

à Madeleine et Robert

"Le vin sait revêtir le plus sordide bouge
D'un luxe miraculeux
Et fait surgir plus d'un portique fabuleux
Dans l'or de sa vapeur rouge
Comme un soleil couchant dans un ciel nébuleux"

Charles Baudelaire, Les Fleurs du Mal

Notes de l'auteur

La Mer de Glace est un glacier du massif du Mont-Blanc. Un "magnifique glacier de 7 km de long, 1 200 m de large et 200 m d'épaisseur, qui avance inexorablement de 70 à 80 mètres par an, soit 8 mm par heure". (Dépliant touristique du Montenvers).

D'un point de vue géographique, l'appellation Mer de Glace commence au confluent des glaciers de Leschaux et du Tacul, quand ceux-ci mêlent leurs glaces séculaires pour venir s'avancer jusque sous les parois abruptes des Grands Charmoz et des Drus.
A cet endroit, la formidable muraille des Drus domine la Mer de Glace de presque deux mille mètres de hauteur.

Ce nom original lui vint par l'entremise de deux Anglais, Messieurs William Windham et Richard Pococke, en visite à Chamonix en 1741, et qui furent parmi les premiers explorateurs des Alpes.

Accompagnés de quelques indigènes, ils se rendirent au Montenvers, un belvédère situé au-dessus du village des Bois, d'où la vue sur la Mer de Glace est saisissante.
Faisant allusion aux crêtes des séracs et aux plis tourmentés des crevasses, ils rapportèrent que le glacier évoquait à cet endroit "un lac agité d'une grosse bise et gelé d'un coup".
Le nom de "Glacier des Bois" fut vite oublié pour celui, plus exotique, de "Mer de Glace".

D'innombrables touristes viennent chaque été à Chamonix pour voir ce glacier qui a acquis, grâce à son nom, une notoriété internationale. Un petit train à crémaillère permet aujourd'hui de rallier le Montenvers (altitude 1 925 m) et de jouir sans fatigue d'un spectacle incomparable.

On raconte ici,
à propos de ce nom
équivoque de
Mer de Glace,
que deux touristes
demandèrent un jour
s'il était possible
d'y louer des pédalos.

En entrant dans ce petit bar

I

En entrant dans ce petit bar de Val-Misère, village oublié en amont de Chamonix, j'avais eu la très nette impression de sortir de ma trajectoire, de faire comme une sorte de pas de côté pour quitter la voie et ainsi échapper à l'ordinaire train de la vie.

J'étais assez loin de me douter alors, des conséquences irréversibles qu'allait entraîner cette concession, d'apparence pourtant anodine, à mon emploi du temps.

Le bar s'appelait "Le Port de la Mer de Glace". C'était d'ailleurs ce nom qui m'avait attiré, comme un clin d'œil. Un nom original, pour une fois, à deux pas de la capitale mondiale de l'alpinisme, toute dévouée au tourisme, où les enseignes commerciales se contentaient le plus souvent d'évoquer la beauté des cimes : Bar des Glaciers, Café des Marmottes, Brasserie des Alpages... Échappant à la tradition, "Le Port de la Mer de Glace", si l'on peut dire, n'était pas un nom bateau.

L'endroit était vide, hormis un petit gars aux cheveux crépus accoudé au zinc côté client. Ça avait l'air d'être le patron qui lisait le journal, et qui n'avait pas accordé la moindre attention à mon arrivée.
— C'est possible d'avoir un petit blanc ?
Silence.
— ...'pas que ça à foutre.
Le ton ne supportait pas la réplique et je m'apprêtais à sortir lorsque j'entendis dans mon dos :
— ... ordinaire ou de Savoie ?

Le petit homme à cheveux crépus avait extrait son nez du journal et me regardait l'air en colère. On aurait dit Charlot avec des lunettes, mais sans moustaches.
— Alors ? !
— ... euh... de Savoie !
Satisfait de ma réponse, il retomba dans sa lecture.

— La bouteille, c'est dans le frigo, et y'a deux verres sur l'évier.

Un peu décontenancé, je passai derrière le bar où tremblait un frigidaire moyenâgeux. Une bouteille de Roussette à moitié entamée y attendait son heure.
Je servis de mon mieux deux verres sur le comptoir.
— On fait pas dans le prêt-à-porter ici !! J'suis pas à la veille de vous embaucher comme barman si vous m'laissez des faux-cols pareils !
Le patron attrapa avec fureur la bouteille de blanc et compléta les deux ballons à ras-bord.
— Santé ! Il leva son verre, le descendit cul-sec et replongea dans son journal.

Le décor du bar était on ne peut plus savoyard : des filets de pêche couvraient les murs, garnis de homards, crabes et autres crustacés, tandis que, à l'arrière du comptoir, des plans en coupe de bateaux tapissaient les quelques rares espaces dégarnis de bouteilles. Sur l'étagère la plus en vue gisait la maquette d'un trois-mâts, les voiles ratatinées et jaunies par le tabac, comme échouée là par un soir de déprime.

– "Femmes de gendarme", au pluriel et en six lettres, ça vous dit quelque chose ?
C'était l'heure des mots fléchés. Inspiré par l'ambiance marine des lieux, j'avançai sans réfléchir une réponse pleine de délicatesse :
– Morues ?
Cela n'eut pas l'air de choquer mon interlocuteur :
– J'y ai pensé mais ça va pas, y'a un "a" en deuxième lettre.
Le barman cherchait à haute voix dans le même registre affectueux :
– Salopes, ça fait une lettre de trop.
– Garces ? hasardai-je gentiment.
– Ah, c'est pas con ça ! Son regard s'était éclairé. Il inscrivit les six lettres assassines sur la grille et passa derrière le bar.
– Ça s'arrose !
– Je peux ?
– Allez-y, il est dur aujourd'hui.
Je m'approchai du journal plié en quatre à la page des jeux.
Quelques mots étaient déjà écrits, dont celui qui fournissait le "a" de garces. La définition en était : "Spécialités de Savoie".
Réponse : sardines.

— Vous êtes sûr de votre coup pour les sardines ?
— La spécialité du Port de la Mer de Glace, c'est les sardines...
Il vida le restant de la bouteille de Roussette dans son verre, et le but d'un trait.
— ... Vous vous êtes perdu pour arriver ici à pareille époque ?
Tandis qu'il se saisissait d'une nouvelle bouteille, je lui confiai, avec une nuance de fierté dans la voix, que j'étais guide de haute montagne installé depuis peu à Chamonix.
Dans sa réponse, on était assez loin du sifflement admiratif qui accompagne en général ce genre d'aveu :
— Ah bon ? Métier de con. Gagne-misère.
— ... Passer son temps à traîner des glandus au bord des précipices, qu'auraient mieux fait d'aller en vacances à la mer.

Le bouchon s'évada de la bouteille avec un "pop !" de soulagement.
Le patron trempa son majeur dans le goulot pour l'en extirper aussitôt d'un geste sec : nouveau "pop !".
Le vin plongea gaiement dans les deux verres.

– Moi c'est Gérard. Je tenais un rade en Bretagne avant d'atterrir dans ce trou. Les marins c'est aut'chose.
Il avala son blanc d'une seule gorgée.
Nous contemplâmes en silence la grille des mots fléchés.
La définition du "un" horizontal était étrange : "Mauvaise hier", en neuf lettres, avec le "s" de "sardines" en cinquième lettre.
Gérard s'était aussi concentré sur ce problème : saisi d'une inspiration soudaine, il remplit les neuf cases avec fébrilité : réponse, "digestion".
– J'sais pas c'que j'ai bouffé hier, mais c'est pas passé.
Du coup, le neuf vertical devenait plus facile : le mot commençait par le "n" de digestion et finissait par le "e" de garces, avec pour définition "lumière céleste".
Le patron leva la tête, l'œil suspicieux, regarda l'éclairage de son bistrot comme s'il le voyait pour la première fois et inscrivit sans hésiter néon.
Le deuxième "n" de néon et le "e" de garces se retrouvèrent superposés.
– Y'a queq'chose qui va pas : néon, c'est obligé qu'ça soit ça, dit Gérard en montrant son plafond, mais garces, ça doit être faux.

Nous nous replongeâmes à la recherche de ces énigmatiques "femmes de gendarmes".
Vaches... carnes... tartes... taches... traînées...
Nous avions beau réfléchir à voix haute, le "n" de néon rejetait toutes les hypothèses logiques.
Les femmes de gendarmes nous barraient la route !
Ah les...

— ... CATINS ! ! !
— Eh ! Eh ! Eh !... Gérard exultait :
— Bien envoyé !... Ça s'arrose !... Tournée du patron !
Il repassa derrière le comptoir et nous remit deux petits blancs.

Il était dix heures et demie du matin.
Gérard avait aussi remarqué l'heure.

Il servit deux autres blancs sur l'aile droite du bar.
Dans la seconde qui suivit, la camionnette des Ponts et Chaussées s'arrêta pile devant la porte du Port de la Mer de Glace.
S'en extrayaient deux hommes en tenue de combat, orange fluo de la tête aux pieds. Un grand à moustaches et un tout petit, à moustaches aussi, les deux la clope au bec.

Des gestes télécommandés les conduisirent sans détour jusqu'au comptoir.
— Salut l'Amiral !
— Salut les branleurs.
Ils s'installèrent avec application en face de leurs verres respectifs.
— T'as le journal ?
Le patron tendit les nouvelles du jour au plus grand cantonnier.

Au passage, je lus machinalement le plus gros titre à la une :
La reine d'Angleterre se fait sucer en public.
Je relus, incrédule :
La reine d'Angleterre se fait sucer en public.
C'était bien ça qui était écrit, sur la première page, en gros titre, à côté d'une photo de la première dame d'Angleterre, l'air béat.
Les deux cantonniers esquissèrent un petit sourire.
— Pas mal !... Pas mal !... commenta, l'œil lubrique, le plus grand.
— ... tu peux l'afficher aussi celui-là.
Son menton désignait le fond du bar.
Au milieu des écrevisses et des oursins, un panneau, couvert de manchettes de journaux punaisées pêle-mêle,

rappelait les derniers grands titres de l'actualité, révisés à la sauce plutôt salace du Port de la Mer de Glace.

On pouvait y apprendre, entre autres, qu'une pipe mal taillée était à l'origine d'un terrible accident de métro, que les érecteurs du canton avaient bouché les urnes au deuxième tour, et que les hockeyeurs de Chamonix ne suçaient pas que de la glace (mais ça, on s'en doutait). Le pape, quant à lui, se contentait de défoncer la veuve et l'orphelin. Gérard était un spécialiste de la falsification de coupures de presse en tous genres.
— C'est qui, celle-là ?

La question du petit cantonnier accompagna l'entrée dans le bar d'une petite dame, d'un certain âge et d'allure respectable.
Elle s'assit discrètement à une table, où elle posa avec précaution son sac à main et une baguette de pain.
— Madame, que puis-je pour vous être agréable ? s'enquit le cafetier, sur un ton légèrement obséquieux.
— Un thé, s'il vous plaît.
— Tu nous remets ça, docteur ?

Les deux cantonniers avaient déjà sifflé leurs godets.
— Tiens v'la Clint Eastwood.

Tandis que Gérard remettait une tournée aux employés de la commune, un étrange énergumène pénétra dans le troquet d'un pas décidé. Un grand échalas aux cheveux filasse qui se déplaçait à longues enjambées glissantes, comme s'il faisait du ski de fond. On devait confondre ici les cow-boys et les Indiens : le dénommé Clint Eastwood avait tout de Géronimo.
— J'vais lui foutre un coup de fusil à la vieille ! hurla-t-il en arpentant le bar les bras au ciel "ça va pas traîner !"
Eu égard à son âge, l'unique représentante de la gente féminine présente en ces lieux avait légitimement sursauté.
— Ce n'est pas après vous qu'il en a, Madame, lui souffla Gérard en lui servant un thé.
— … c'est après sa grand-mère.

Cela n'eut pas l'air de rassurer la doyenne de l'endroit, qui se tassa sur sa chaise.
Eastwood fit trois tours sur lui-même et ressortit dans la rue.

Le boulanger, qui officiait juste en face du Port de la Mer de Glace, venait de traverser la route et franchit à son tour le seuil du bistrot, un informe chien gris collé à ses talons. C'était un solide gaillard tout de blanc vêtu, l'air jovial.
— Tu sais pas la dernière... commença-t-il, s'adressant au patron du bar.
Il ressortit aussi vite qu'il était entré, traversa à nouveau la rue sans regarder ni à droite ni à gauche, car un client attendait dans sa boutique.
— Va finir écrasé ce con-là, commenta laconiquement Gérard.

Des klaxons se firent entendre au-dehors.
— Tiens, dit le grand cantonnier, ça doit être le mariage de la Marie-Chantal.
— Entends-moi-les ces cons-là, c'est la noce, ils ont le droit de klaxonner, et va-z-y que j'te klaxonne !
Dans son commentaire du cortège nuptial, Gérard ne faisait pas dans la dentelle...
— ... on leur dirait qu'ils ont le droit de pisser par la portière de leurs bagnoles pourries, ils le feraient.
La vieille dame, agitée de petits frémissements, sembla vouloir disparaître dans sa tasse.

– Au fait les branleurs, lança le patron en se tournant vers les cantonniers, c'est samedi aujourd'hui, qu'est-ce-que vous foutez en service ?
– On est de garde, répondit le plus grand, avec une nuance d'importance dans la voix.
Gérard le regarda d'un air incrédule :
– De garde ? Pour quoi faire ?
– Si des fois qu'y neigerait.
– Hein ? Au mois de mai ? !...
Les deux employés de la commune baissèrent la tête, un peu déstabilisés.
– C'est déjà arrivé, hasarda le plus petit.
– ... Alors l'hiver y'a pas moyen de vous voir passer le chasse-neige quand y'a deux mètres de neige fraîche dans la rue, et là vous êtes de garde pour déneiger, en plein mois de mai, avec un anticyclone de New York à Moscou ? !
La réponse fut assez désarmante :
– L'hiver c'est pas pareil, c'est pas de not'faute si on est à la bourre, le chasse-neige y démarre pas quand y fait froid.
Un instant scié par cet argument imparable, le tôlier du bar retrouva son air goguenard :
– Ça doit être un modèle prévu pour la Guadeloupe.

Le boulanger était revenu dans le troquet, son chien toujours sur les talons. L'animal, museau en l'air, se montra soudain très attiré par les jupons de la vieille dame.
— Viens là Tobby, dit-il en s'adressant au cabot inquisiteur, je t'ai déjà dit que les moules c'était bon que quand c'était frais !!!
La finesse de son intervention illumina son visage d'un sourire rayonnant.
— Faut pas l'écouter m'dame, se crut bon d'ajouter le petit cantonnier, qui attaquait son troisième verre, "ici c'est un bar de marins, hein Gégé, plus ça sent la marée, plus on tend la gaule !"
Son acolyte explosa de rire.
— SILENCE ! Vous êtes dans un établissement respectable !
Gérard, peu convaincant, tentait de sauvegarder la réputation de son commerce.

La pauvre femme se tassait de plus en plus sur sa chaise, la tête rentrée dans les épaules, une main crispée sur sa baguette de pain.
Ce fut le boulanger, plein de bonnes intentions, qui se risqua à rattraper les choses :

— Hein, l'Amiral, tu la sais pas, la dernière ?
Gérard baissa la tête, certain du pire.
— ... ce connard de pharmacien, depuis qu'il sait que j'ai baisé sa femme, il raconte dans tout le pays qu'il a trouvé une capote usagée dans mon pain !

La vieille dame avait aussitôt relâché sa baguette, émettant un son inarticulé.
Se produisit alors l'irréparable.

Gérard, excédé par les propos nauséabonds du boulanger, exécuta dans sa direction un geste de la main chargé de représailles. Chargé de représailles, et surtout de maladresse, ratant sa cible et emportée par son élan, la main vengeresse balaya en vain l'air du bar pour finir sa course folle contre le gros verre-ballon que venait de commander le boulanger. Le verre bascula sur le comptoir, tandis que son contenu, d'un beau pourpre, profitait d'un effet de rebond pour s'envoler avec grâce à travers la pièce, et, sans se départir d'une goutte, venir atterrir sur la jupe à carreaux or et gris de la dame au thé.

Il y eut dans le bar un instant de silence gêné.
De courte durée. Une série de gloussements ne

tarda pas à se faire entendre. Des fous rires mal contenus qui commençaient à agiter les affreux clients du Port de la Mer de Glace. Incorrigible et toujours aussi raffiné, le boulanger glissa à voix basse, à la cantonade autour du bar :
— Les moules, c'est meilleur avec du blanc !
C'en était trop. Le bistrot fut secoué par un terrible séisme jubilatoire.
— ... À LA MARINIÈRE ! hurla le grand cantonnier, écarlate.
Gérard, qui, malgré tous ses efforts, riait encore plus fort que les autres, s'était précipité pour éponger les dégâts, se saisissant au passage du premier objet adapté traînant sur le comptoir. C'était le journal.

Dans l'hilarité générale, le bistroquier, animé de convulsions frénétiques, incapable d'émettre le moindre mot d'excuse, se mit à frotter avec fébrilité la malheureuse jupe souillée, dont le rouge était déjà largement devenu la couleur principale. Sa victime se laissait faire, les bras ballants, les yeux rivés sur la une du journal qui s'agitait sous son nez. La lecture du titre principal, consacré à la reine d'Angleterre, ne pouvait lui échapper...

Elle eut un brusque sursaut de dégoût, se leva d'un trait en écartant Gérard de la main, et entreprit de traverser le bar, à petits pas, pour éviter de se mouiller davantage... La traversée de l'Atlantique en apnée n'aurait pu lui paraître plus longue. Quelques gouttes de vin, tâchant le carrelage, accompagnèrent sa progression.

Le barman s'était mis à la suivre, à la même vitesse, sautillant sur place comme un jeune chat pour éviter de la doubler :
— Mais vous sauvez pas M'dame, on va mettre du sel...
— ... avec une pincée de poivre !
— ... et des échalotes !
— VOS GUEULES !!! Excusez-les, M'dame, y-z-ont aucune éducation !
Gérard la dépassa pour lui ouvrir la porte, se fendant d'une courbette respectueuse :
— Le Port de la Mer de Glace a été enchanté de vous recevoir...

Continuant d'avancer comme un automate, la pauvre femme franchit enfin le seuil de ce lieu de perdition et disparut dans la rue.
— Vous oubliez votre pain !... lança le boulanger.

Il pleuvait

II

Il pleuvait. Il pleuvait. Il pleuvait.
Ce n'était que le matin, mais la rue principale de Val-Misère était sombre comme dans un soir d'hiver.

Un homme en remontait le cours. Ou quelque chose qui avait forme humaine. Quelque chose d'aussi noir et sinistre que l'obscurité qui pesait sur le village. Sa démarche était étonnante : une sorte de balancement qui s'interrompait d'un seul coup, avec un petit claquement sec sur le bitume. Il n'y avait guère de doute possible : l'étranger qui remontait la grand-rue de Val-Misère portait une jambe de bois...

Et sa silhouette laissait deviner qu'il était coiffé d'un

chapeau tricorne — usage peu courant dans un canton de montagne. Flottant au vent orageux de la pluie, une grande cape noire complétait cet inquiétant tableau.
La petite commune de Val-Misère était déserte comme si la fin du monde s'était abattue sur elle. Seuls quelques chocards, de mauvais augure par ce temps, glissaient en silence au-dessus des maisons.

L'homme avançait d'un pas cahotant mais décidé, regardant droit devant lui. Il donnait l'indéfinissable impression de n'être jamais venu ici mais de savoir très bien où il allait.
L'eau était partout : elle courait sur toute la largeur de la rue, plongeait en cascades des gouttières, ruisselait sur la cape de l'étranger...
Il n'en avait que faire.

Dans un éclair phénoménal qui déchira l'atmosphère sulfureuse de cette lugubre matinée, l'homme à la jambe de bois s'engouffra dans le Port de la Mer de Glace.

III

Durant ce pluvieux mois de mai, j'avais pris l'habitude de venir boire un verre à Val-Misère. A dix heures et demie, l'heure du petit blanc.

Les clients du Port de la Mer de Glace, à quelques dames au thé près, étaient toujours les mêmes et buvaient toujours la même chose. Du vin blanc jusqu'à midi, puis du vin rouge. Seul le boulanger avait droit au rouge avant midi, pour cause de "décalage horaire".

L'Amiral — c'était le ronflant surnom du tôlier — gouvernait derrière son bar comme sur le pont d'un navire, haranguant son monde sans pitié, comme s'il avait affaire à des malfrats enrôlés pour pénitence. C'était un personnage surprenant. Sa logique des choses ne tenait qu'à lui. On aurait dit qu'il n'existait sur terre — il serait plus exact de dire "à terre" — que le Port de la Mer de Glace, ses clients, et ce qu'ils buvaient. "Le reste", au-delà de la porte du bar, n'était pas simplement extérieur, mais hors de sa réalité, et donc quelque part imaginaire.

Seul lien tangible entre ces deux mondes très éloignés, le journal, porte-parole de cet au-delà où les gens se battaient et se réconciliaient, s'assassinaient et se repentaient, se bafouaient et se congratulaient à grands coups de caractères d'imprimerie.

En fait, les dernières nouvelles du jour importaient peu, elles n'étaient que prétexte à découpage, falsifications outrageuses et commentaires acides : une façon comme une autre de remettre les choses à leurs places, celles plus réelles du Port de la Mer de Glace.

Ces indispensables rectifications apportées, l'attention générale se concentrait à l'avant-dernière page, avec les deux temps forts de la matinée : les mots fléchés et la lecture de l'horoscope.

Avec l'horoscope, le journal détenait un terrible moyen d'influence sur le menu quotidien du Port de la Mer de Glace. Il faisait l'objet d'une lecture dévote, agrémentée par l'Amiral de conseils de circonstance, et dictant la conduite à tenir pour la journée à toute personne présente dans le bar. Nul ne pouvait se soustraire à sa loi. C'était les Saintes Écritures, la Parole du Prophète, les Quatre Nobles Vérités du Port de la Mer de Glace. Avec cette différence très appréciable vis-à-vis des religions, de changer tous les jours. Ainsi, s'il était écrit à la rubrique "santé" des capricornes, le signe astral de Gérard, que ceux-ci devaient "boire de l'eau" — cas de figure plutôt tragique on en conviendra — le barman du Port échangeait aussitôt son petit verre ballon contre un verre long et froid comme la mort, qu'il avait baptisé "la Punition", buvant à chaque tournée l'effroyable liquide, les yeux et le nez fermés, mais l'air toujours digne. Dieu merci ! Avec ce culte-là, on pouvait être à peu près sûr que le lendemain serait porteur d'autres dogmes : de mémoire de cantonnier, on avait jamais vu deux jours de suite la Punition sur le zinc du Port de la Mer de Glace.

Il n'était cependant pas nécessaire de voir la Punition sur le comptoir du bar pour deviner quel sort attendait ce jour-là l'infortuné Gérard, Fernando, le boulanger portugais, affichant pour l'occasion, son plus beau sourire.

Fernando était aussi un fidèle de l'horoscope et des mots fléchés, discipline où il brillait tout spécialement, avec ce particularisme de loger souvent deux lettres par case.

Son travail l'amenait à traverser en moyenne cent cinquante fois la grand-rue de Val-Misère dans la matinée, soit à peu près l'équivalent de la population du village.

Il partait vendre un pain, s'essuyait les mains dans son tablier et venait se rasseoir au comptoir du troquet, son chien Tobby, baptisé "la Serpillière" pour la qualité de son poil, toujours sur ses pas. Tobby ne quittait son maître que pour satisfaire à un besoin impérieux : il divergeait alors invariablement vers la vitrine de la pharmacie qui jouxtait le Port de la Mer de Glace. La scène était classique : le pharmacien sortait illico dans une colère noire pour shooter le chien la patte en l'air et le robinet tressautant, les événements ayant pris une tournure plus véhémente depuis que Monsieur le Pharmacien avait pris connaissance des relations intimes qui rapprochaient le boulanger, propriétaire du chien fautif, et Madame la Pharmacienne.

D'un caractère plutôt direct, Fernando avait lui aussi sa manière bien à lui de raisonner : s'il l'on venait à lui reprocher par exemple "d'attraper" depuis quelque temps Madame la Pharmacienne toutes les après-midi, quand Monsieur le Pharmacien allait aux champignons ou à la pêche, il répondait, avec un bon sens évident, qu'en tant que boulanger digne de ce nom il travaillait une bonne partie de la nuit, et qu'il ne pouvait donc s'occuper de Roselyne – c'était le charmant prénom de la femme coupable – que l'après-midi.

Genre d'argumentaire qu'il ponctuait d'une série de "C'est logique !" coupant court à toute discussion.

La Bévote était aussi une figure du Port de la Mer de Glace. Outre sa soif légendaire, il était connu pour son aptitude à voir des apparitions.

La dernière en date, qu'il avait baptisé la "Dine-Dourle", était un monstre avec des bras partout — au moins vingt-cinq — qui s'était mis en travers de son passage quand il avait fait mine de rentrer chez lui. Il avait dû errer toute la nuit, de bar en bar jusqu'au petit jour, moment où l'effroyable animal avait daigné disparaître.

Une ou deux fois par mois, lorsqu'il était prévu quelque événement susceptible d'animer un peu la vie du canton — 14 juillet, concours de belote, enterrement... — Gérard faisait appel à un "extra", du nom de Séraphin, qui consommait à lui tout seul autant que tous les clients du bar réunis. Dès midi, l'extra était écroulé derrière le comptoir, sa tête réapparaissant de temps à autre pour réclamer qui mettait sa tournée.

Les deux cantonniers passaient tous les jours à dix heures et demie. Précises. Ils prenaient alors possession de l'espace de comptoir qui leur était imparti par une succession de gestes mille fois répétés, dans un parfait ensemble. Et non sans une certaine solennité : tout d'abord le paquet de cigarettes —

des Gauloises bleues – posé à côté du verre, à sa droite et le briquet posé sur le paquet, orienté dans la même direction. Puis, le tabouret de bar – d'un geste de repli assez technique de la cheville droite – glissé sous les fesses, tandis que le coude gauche se calait sur le zinc. Enfin, la main droite qui venait se saisir du verre de blanc, sans en renverser la moindre goutte, pour l'amener jusqu'aux lèvres, déjà pointées en cul de poule, avides comme des éponges.

Un léger battement de paupières accompagnant la première gorgée, clôturait le cérémonial. C'était bien plus qu'une scène ordinaire de libations. Il y avait du devoir là-dedans.

Malgré tout, sur cette sorte de météorite détachée des conventions humaines qu'était le Port de la Mer de Glace, le personnage le plus pittoresque, le plus "cosmique", qui ne pouvait manquer d'impressionner l'astronaute de passage, était le dénommé Clint Eastwood.

A force de vie solitaire – il devait avoir une trentaine d'années – il avait construit autour de lui un

monde étrange, qui n'avait plus grand-chose à voir avec la réalité que l'on connaît, et qui dépendait d'une série de règles obscures que seul lui-même avait expérimentées.
Par exemple : "on doit toujours choisir la solution de gauche", précepte dont l'application immédiate consistait à tourner toujours à gauche.
Ainsi, en sortant du Port de la Mer de Glace, partait-il systématiquement vers le bas, à gauche donc, même si sa maison se trouvait en haut du village, sur la droite.

Autre principe essentiel : "on ne peut avancer vers la lumière qu'en tellurique", terme générique dont la manifestation la plus visible était de marcher pieds nus.

Lors de ses crises mystiques, Clint Eastwood arpentait la grand-rue de Val-Misère pieds nus, qu'il y eut de la neige ou non, ponctuant toutes ses rencontres de sonores "la Terre nous porte ! La Terre nous porte !", qui exerçaient toujours un effet d'authentique surprise, voire de légitime panique, sur les quelques rares touristes de passage dans ce coin de la vallée.

L'une des règles les plus originales de cet étrange code ésotérique disait aussi que "le dimanche, il faut toujours refaire les gestes que l'on a fait en sens inverse" ; c'est-à-dire que si vous venez de traverser la rue en marche avant — ce qui paraît relativement normal, même un dimanche — le retour devra s'opérer en marche arrière.

Depuis qu'il s'était fait faucher par un cycliste, surpris par sa trajectoire imprévisible, Clint Eastwood ne sortait plus le dimanche.

A propos de la vie quotidienne au village, un des grands regrets de Clint Eastwood était l'absence de réjouissances diverses, concerts, représentations théâtrales, shows en tous genres, dans l'enceinte même du cimetière ; chose dont il se plaignait souvent. Il avait d'ailleurs suggéré à Monsieur le Maire de Val-Misère d'installer une piscine au milieu des tombes, afin que "vivants et défunts puissent nager joyeusement ensemble".
Clint Eastwood ne disait jamais bonjour. Ni au revoir d'ailleurs. Il s'approchait de vous, même vous connaissant à peine, le regard fixé au sol et vous annonçait sans autre préambule :

— Ce matin j'ai tapissé ma chambre.
Ou bien, sur un ton plus ferme :
— Tant mieux si tout crame.

Tantôt Clint Eastwood buvait comme un trou — que du rouge, c'était sacré — et quittait alors systématiquement le bar en disant qu'il allait assassiner sa grand-mère à coups de hache.

Tantôt il traversait une période monacale, où, lors de ses rares passages au Port de la Mer de Glace, on le voyait se contenter d'un petit café noir, qu'il savourait en parlant tout seul à voix haute.

Certains esprits médisants prétendaient que Clint Eastwood était complètement timbré.

C'était, selon Gérard, bien mal le connaître, et accorder à des petits détails de comportement une importance exagérée.

L'Amiral m'avait confié avoir eu, avec lui, plusieurs conversations très intéressantes où il avait fait preuve d'une vivacité d'esprit, d'une pertinence, telles que, toujours selon le patron du Port de la Mer de Glace, cela aurait dû lui valoir le surnom de "Philosophe de Val-Misère". Pour Fernando, c'était tout simplement le fou du village.

IV

Ce fut à l'automne que les événements prirent une étrange et inquiétante tournure.

Après un été passé à courir l'Alpe, j'avais retrouvé, non sans un certain bonheur, les petits matins résonnant du double "pop !" du Port de la Mer de Glace.
Ce jour-là, Gérard était parti dans des histoires de marins, ou du moins des histoires qui se passaient du seul côté de la vie des marins qu'il connaissait vraiment bien, que l'on pouvait rassembler sous le titre générique de "Retour au port".

En ces temps bénis, dans la mémoire de l'Amiral, la paie du mois était remise d'entrée de jeu et par

les marins eux-mêmes, au patron du bar le plus proche du lieu de débarquement.
Charge à lui de gérer au mieux la situation. C'était des histoires, ballottées par la houle des tournées, qui finissaient toujours de la même façon : acrobatiques rapatriements en brouette, bagarres aussi générales que les tournées, et intervention, au moment fatidique de la fermeture, en bouquet final, soit des forces de l'ordre, soit, bien pire, des épouses excédées.

Dehors Val-Misère affichait un temps de cochon ; le hameau le plus reculé du pays du Mont-Blanc était plongé dans une quasi totale obscurité. Seules les deux lampes tempête, battues par le vent et qui marquaient l'entrée du Port de la Mer de Glace, apportaient une touche d'animation dans la rue principale.

La tourmente avait coupé l'électricité, et le bar était faiblement éclairé par quelques bougies éparses juchées sur le comptoir. Les seuls clients étaient les vrais fidèles du lieu, insensibles aux conditions météorologiques : le boulanger, son chien et Clint Eastwood.

Comme il était dix heures et demie, arrivèrent les deux cantonniers, qui avaient découvert des fuites d'eau dans l'habitacle de leur camion, situation très désagréable, voire dangereuse à les entendre. Autant dire que leur matinée de boulot s'arrêterait ici.

La trogne du grand cantonnier, d'un beau rouge luisant, s'installa flamboyante à l'autre bout du bar, au-dessus d'une bougie.
Gérard, l'œil de plus en plus brillant, allait et venait derrière son comptoir comme une sorte de marée immergeant sans pitié tous les malheureux verres alignés sur le zinc.
Il continuait ses histoires de débâcle marine, terrible naufrageur des bars d'Armorique, où les plus solides bâtiments de la flotte bretonne venaient s'échouer corps et âmes.
— Et y'avait le grand tout gros, comment qu'on l'appelait déjà çui-là ? Ah, Obélix, il était tellement saoul qu'il avait pas reconnu sa femme !...

Le maître des lieux avala son blanc d'un coup.
— ... quand elle est rentrée dans le bistrot, il l'a sifflée comme si c'était une poule de Quimper ! T'aurais vu la tête de la marquise !...

On imaginait facilement.
"Ah ! La magie des bars !"

L'Amiral, après quelques verres, se laissait volontiers aller à des élans philosophiques.

— ... c'est ça, la magie des bars ! Tu sais jamais qui va entrer. La porte est ouverte à tous. T'es là à boire ton petit canon bien tranquille, tu peux voir débouler n'importe qui, tu sais pas ! Tu sais jamais ! C'est comme à la loterie. Tu sais jamais...

La fin de son discours se perdit dans un terrible fracas. En même temps que la porte du bar s'ouvrait, un violent éclair transperça la nuit. Le tonnerre roula dans la rue comme un coup de canon. Aveuglés par la flamme électrique, nous avions juste eu le temps d'apercevoir, comme dans un film d'horreur, une invraisemblable silhouette se découper dans l'embrasure de la porte : une sorte de pirate, à chapeau tricorne et jambe de bois, cape au vent, tout droit descendu du ciel avec la foudre...
Les effets secondaires du petit blanc prenaient une tournure dramatique.

Pour nous faire regretter encore davantage notre tendance à céder un peu trop allégrement aux vicissitudes de la soif, non content de ne pas disparaître comme finit toujours par faire toute manifestation à caractère spectral ordinaire, le fantôme se mit à avancer à l'intérieur du bistrot.

Dans l'antre du Port, cette fantasmagorique apparition eut à peu près le même effet que la révélation de la Vierge à Sainte-Bernadette. Chacun se figea, d'aucuns le verre à la main, dans une attitude voisine de la prostration.

Assommés, persuadés d'être victimes d'une hallucination collective, nous observions le nouvel arrivant non comme un extra-terrestre, ce qui aurait été en comparaison assez banal, mais comme un extra-temporel. Car cette chose-là venait tout droit d'un autre âge.

Non seulement il portait une jambe de bois, un chapeau à trois cornes décoré d'une tête de mort, mais aussi l'inévitable et très seyant bandeau de borgne sur l'œil droit.

A sa ceinture, un inquiétant sabre d'abordage aurait incité les plus euphoriques à un minimum de prudence.
Le plus incroyable était que, au cœur de cette tempête digne du Cap Horn, dans nos esprits chavirés entre la rade de Brest et les rades de Concarneau, le nouveau venu semblait tout à fait à sa place !

Pire, à la lueur ancestrale des bougies, c'est nous qui avions l'air déplacés, avec nos costumes mornement ridicules, sans la moindre arme de circonstance.

Tout à fait à son aise, sa jambe de bois claquant sèchement sur le carrelage, l'étranger traversa le troquet d'un pas cahotant mais indétournable, et vint s'installer à l'autre bout du comptoir.

Gérard fut le premier à retrouver ses esprits. De peur que la tempête elle-même, et ses vents catabatiques, ne s'engouffrât dans son établissement, il s'empressa de fermer la porte d'entrée, que l'inconnu avait laissée grande ouverte derrière lui.

Tobby, d'ordinaire plus courageux, grondait caché sous une table.

A peine l'Amiral venait-il de reprendre son poste, qu'une voix caverneuse lui commandait :
– Un double rhum, manant !
Le ton n'incitait guère à la réplique.

Au dehors, le vent s'énervait en bourrasques sauvages et les lampes tempête s'étaient mises à siffler dans la nuit, cognant anarchiquement les montants de la porte d'entrée.
Le fait que l'apparition se mette à parler n'avait qu'aggravé notre processus de momification.

Seul Gérard, s'exécutant avec des gestes d'une synchronisation assez approximative, réussit à se saisir d'un verre à alcool et d'une bouteille de rhum. Tandis qu'il servait son nouveau client, un silence tombal, digne des plus profondes catacombes, envahit le café. Un léger cling-cling-cling trahissait juste l'émoi du patron.

L'inconnu regarda à la ronde, en bougonnant.

Faisant soudain volte-face il donna un violent coup de pied à la table sous laquelle grognait Tobby.

— Ta gueule !... se mit-il à hurler... chien d'ivrogne !
Fernando ne risquait pas de broncher.

La Serpillière partit en couinant se réfugier sous une autre table.

L'homme se saisit de son verre de rhum, le descendit cul-sec et le claqua sur le zinc.

— J'aime ce silence quand je rentre ! Ah ! Ah ! Ah !... Le Port de la Mer de Glace. Taverne du Diable, oui !!!...
Un rictus sardonique lui fendit le visage.
— Et c'est toi qui parles de la Mer, ici ?
Son regard s'arrêta sur Gérard.
— ... la connais-tu seulement la véritable histoire, hein ? Mets ma tournée, tôlier de basses fosses !

Il s'était approché du petit groupe de statues que nous formions avec Fernando et Clint Eastwood.

Nous pouvions à présent mieux voir son visage incroyablement balafré. Son œil unique courait de l'un à l'autre avec la vivacité de l'éclair, nous pénétrant comme un couteau.

— Cela s'est passé il n'y a pas si longtemps que ça. Tout près d'ici.
Il siffla d'un jet son deuxième verre.
—ÉCOUTEZ !!... Écoutez-moi bien !

Il extirpa brusquement son sabre, pourfendit l'air au-dessus du comptoir et l'arrêta net sous le menton de Gérard.
— Surtout toi (l'Amiral présentait déjà tous les symptômes de la mort clinique...) ou il t'en cuira.

Rengainant habilement son arme, l'homme commença son récit d'un ton hypnotique. Au Port de la Mer de Glace, le temps s'était comme arrêté.

Nous remontions la Mer de Glace

L'invraisemblable naufrage

Nous remontions la Mer de Glace, vent arrière. C'était Trompe-la-Mort qui tenait la barre. Un fameux marin, Trompe-la-Mort, qui avait affronté sans trembler toutes les mers du monde, échappé aux plus terribles ouragans. Ceux qui avaient survécu à ses côtés racontaient qu'il barrait en chantant au cœur même de la tempête et que son rire dément courait sur le pont plus fort que tous les rugissements de l'océan... il a fallu qu'il vienne se perdre sur cette mer de malheur... Paix à son âme.

Elle était calme, la sorcière, au début. Juste un peu de clapot, avec une bonne brise du nord.

On s'était écarté du rivage à cause des récifs.

Nous naviguions en plein en son milieu, là où l'allure était la plus portante.
Je me souviens que Trompe-la-Mort m'a demandé si j'avais pris la météo.

C'était la première fois que je le voyais inquiet, comme s'il sentait son heure arriver.

La météo était mauvaise, très mauvaise : avis de coup de vent du sud-ouest, force neuf à dix dans l'après-midi.

Force neuf à dix... Sur cette maudite mer, y'avait de quoi effrayer même un gabier de la trempe de Trompe-la-Mort.
— Si jamais quand ça arrive, on n'a pas doublé le Cap du Requin...

Trompe-la-Mort avait raison : ce serait le demi-tour forcé ; ça nous viendrait droit dessus.

Comme un sombre présage, des mouettes noires piaillaient sur la côte. Deux heures plus tard, nous n'étions plus qu'à un mille du cap du Requin. Cette chienne de mer avait grossi, des lames énormes barraient l'horizon. Mer de malheur ! L'empannage, pour croiser le cap, allait nous ENVOYER AU DIABLE !

L'homme à la jambe de bois avait brusquement haussé le ton.
Il se redressa, poing en l'air.
— On meurt de soif dans ce rade de misère !

Je fis signe à Gérard de remettre une tournée. Le pirate me gratifia d'un coup d'œil électrique.

Il reprit son histoire, toujours la main levée, son visage se creusant avec une intensité dramatique dans la flamme vacillante d'une bougie.
— Je n'étais pas tranquille, y'avait le Diable qui tournait par là ! Vous m'entendez, le Diable !... Le grain qui fonçait sur nous, du fin fond du golfe du Géant, était TERRIBLE. Son point s'abattit violemment sur le comptoir, nous faisant sursauter d'épouvante.

Tobby s'était mis à hurler à la mort sous la table.

— Silence ! Chien de malheur !
— D'un seul coup, le vent a tourné. On s'est retrouvés par tribord au près, avec la houle contre nous !
- Bon Dieu ! a gueulé Trompe-la-Mort, virons de bord !...
Ça y était, cette saloperie de grain était sur nous. Toutes voiles affalées, on s'est mis à dériver plein nord ! LE DIABLE, vous entendez, LE DIABLE ! On a eu le temps de rien faire... J'ai vu une dernière fois Trompe-la-Mort... Il avait lâché la barre et battait l'air à grands coups de poing en hurlant "ARRIÈRE ! SATAN !! ..." Une vague énorme s'est abattue sur le gaillard d'avant. Une vague ÉNORME !! CRAC !

D'un mouvement du bras, le conteur avait balayé tout ce qui était à sa portée sur le comptoir, verres, chandeliers, cendriers... Il y eut un grand fracas dans le Port de la Mer de Glace et nous nous retrouvâmes dans une presque totale obscurité.
— Deux hommes à la mer ! rugit le pirate.

Emportés par le récit, nous nous étions tous retrouvés accrochés au bar, comme pour échapper à la lame qui venait de balayer le comptoir.

"Bon Dieu, quel froid !" L'œil unique du naufragé lançait des éclairs dans la nuit "elle portait bien son nom cette satanée Mer de malheur !"
Il se tut un instant.
— Quand je suis revenu à la surface y'avait plus de bateau, y'avait plus de Trompe-la-Mort… ! Tout par le fond !

L'homme observa un nouveau silence, comme en mémoire du disparu, et reprit son histoire sur un ton presque humain.

— Alors j'ai nagé pour me réchauffer, mais les vagues étaient de plus en plus grosses. Pas moyen de respirer, pas moyen de garder la tête dehors !
— Je sais pas combien de temps j'ai roulé comme ça dans cette flotte gelée. Tout ce que je sais c'est qu'à un moment, mille tonnerres ! J'ai vu le phare du Montenvers !
— A quelques encablures, juste devant moi !
— Ça m'a redonné des forces. Je gueulais comme un putois et brassais l'eau comme un démon !
— Aaaaahh !
Il poussa un cri guttural qui nous glaça les sangs et nous ramena aussitôt dans des sphères cauchemardesques.

— Une lame monumentale s'est dressée devant moi ! C'était ma tombe ! Ma TOMBE, vous entendez ? J'étais foutu ! C'est tout ce que je me rappelle ! J'étais foutu !!!
Le narrateur regarda à la ronde, se saisissant de son troisième verre de rhum — qui avait miraculeusement survécu au raz-de-marée — pour le descendre de la même manière expéditive.

Il y eut un silence angoissant. L'homme baissa la tête. Nous allions savoir si nous avions affaire à un fantôme vivant ou mort. Émise sur un ton parfaitement monocorde, la fin de l'histoire fut à la mesure de son contenu.
— Quelques jours plus tard, des touristes se promenant sur la Mer de Glace ont retrouvé, au fond d'une crevasse, le corps d'un homme avec un ciré jaune et des bottes en plastique.

L'homme s'était à nouveau tu. Nous n'étions guère plus bavards. Il dut prendre notre mutisme abasourdi pour de l'incrédulité.
— Vous ne me croyez pas, n'est-ce-pas ? hurla-t-il soudain. Son unique œil, terrible, se remit à lancer des flammes... et bien regardez ÇA !!

Il extirpa de sa poche un morceau de journal tout fripé, jauni par le temps, et nous le tendit sous le nez, la main tremblante d'émotion.
— Lisez !... tas de mécréants !... Et bien lisez si vous ne me croyez pas ! Il semblait hors de lui.

Nous serrant les uns contre les autres, nous nous mîmes à examiner la coupure de presse. Le titre en était explicite :
"Macabre et étrange découverte sur la Mer de Glace".

Accréditant l'invraisemblable récit de l'homme à la jambe de bois, l'article racontait par le détail comment des touristes étrangers de passage à Chamonix et se promenant sur la Mer de Glace avaient fait cette lugubre rencontre.

L'affaire s'était passée quelque dix ans plus tôt, le 15 novembre exactement.

Il y eut un très, très long silence.
Savourant sa victoire sur l'improbable, le pirate promenait son regard monoculaire de l'un à l'autre avec un sourire ironique, découvrant l'architecture féodale de sa dentition.

— Bon ben c'est qu'on est pas d'ici, dit le grand cantonnier, mal à l'aise.
— T'as raison, renchérit son comparse, on va aller bosser.
En d'autres temps cette remarque aurait fait glousser de rire l'Amiral.

Mais l'intervention de l'homme à la jambe de bois dans la quiétude matinale du Port de la Mer de Glace avait eu un impact assez considérable. L'ambiance avait franchement tourné au malaise.

Les deux cantonniers sortirent sans demander leur reste. Très concentré, Clint Eastwood lisait et relisait l'article en marmonnant. Gérard, sans grande efficacité, allait et venait devant et derrière son bar pour balayer les morceaux de verres cassés. Fernando regardait par les carreaux la tempête au dehors, sans remarquer qu'il y avait deux personnes qui attendaient dans sa boulangerie. Chacun en fait tentait d'éviter le regard insoutenable du nouvel arrivant.

Je m'étais pour ma part réfugié dans la contemplation du mur faisant vis-à-vis au comptoir. Pour la première fois j'y remarquai un petit cadre, entre deux homards, accroché aux filets de pêche. C'était certainement la seule scène de montagne présente dans le bar. La vue, une photo aux couleurs un peu surannées, représentait justement la Mer de Glace, déroulant ses anneaux caractéristiques, dans l'axe des Grandes Jorasses, telle qu'on peut la voir depuis les Aiguilles Rouges. De beaux lichens jaunes au premier plan apportaient une chaude sensation de douceur terrestre. On était loin de l'océan terrible dont les eaux déchaînées avaient englouti l'infortuné Trompe-la-Mort.

— Je le savais ! Je le savais ! Clint Eastwood s'était levé d'un coup, l'air illuminé.
Il comptait sur ses doigts.
— Ça fait exactement cent onze lunes. Ah ! Ah ! Je le savais ! C'est maintenant ! ! !
Et il sortit précipitamment.

La porte claqua dans son dos, tandis qu'il emboîtait la grand-rue de Val-Misère, côté amont. C'était la première fois que je le voyais partir de ce côté-là, c'est-à-dire à droite. J'observai Gérard qui devait se faire la même réflexion que moi, et semblait regarder la chose d'un très mauvais œil.

Pendant ce temps, le capitaine des pirates avait jeté un billet de cinquante francs sur le comptoir :
– Le Port de la Mer de Glace ! lança-t-il dans un rire sardonique.
– Ah ! Ah ! Ah !... Le Port de la Mer de Glace ! Il regarda Gérard : Tu ne croyais pas si bien dire, misérable !
Au moment où il poussait la porte d'entrée, la Bévote entra dans le bar.
Il croisa le pirate, lui jeta un rapide coup d'œil et vint s'asseoir au comptoir en silence.
L'homme à la jambe de bois avait disparu comme il était arrivé, happé par l'obscurité.
– Une menthe à l'eau, commanda La Bévote.
– On ferme ! cria l'Amiral. Il était midi.

V

En entrant dans le petit bar de Val-Misère, le lendemain matin, je sentis aussitôt que tout n'était plus tout à fait comme avant.

Gérard était plongé dans la lecture de l'horoscope dont il disséquait à voix basse toutes les phrases.
Fernando et Tobby continuaient leurs allées et venues, mais sans leur élan habituel. On aurait dit qu'ils attendaient quelque chose.
Deux ou trois fois le boulanger demanda à Gérard :
– Alors ?
Mais l'Amiral n'avait rien à répondre et levait les bras au ciel en signe d'exaspération.
Le vin blanc coulait pourtant normalement et les cantonniers passèrent à l'heure habituelle.

Mais à aucun moment quelqu'un ne fit allusion à la fantasmagorique apparition de la veille.
A ce sujet, tout se passait comme s'il ne s'était rien passé.
A peine si Fernando rappela que la Bévote avait bu de la menthe à l'eau. Je n'osai pas poser de questions, même si une remarque du patron me fit comprendre que je risquais d'être mêlé à l'affaire :
— T'es libre en ce moment ? Il se pourrait qu'on ait besoin de tes services.
Le ton était énigmatique.
Clint Eastwood n'apparut pas de la journée. Ni des deux jours qui suivirent.

Ce n'est qu'au matin du troisième jour que Gérard, horoscope à l'appui, vint me parler d'une manière on ne peut plus directe.
— Il est à présent sûr que Clint Eastwood est parti tout seul en montagne.

Il m'observa, le visage grave, pour s'assurer que j'avais bien compris, et enchaîna sur ce qui semblait pour lui être une évidence :
— Et il est tout aussi sûr que nous devons partir à son secours.

Une angoisse me saisit quant au contenu du nous.
—... maintenant.
Et l'Amiral de me mettre le journal sous le nez, pointant du bout de l'index ce que je devais lire. Il était écrit à la rubrique santé des béliers, le signe de Clint :
— Attention aux coups de froid.
J'eus envie de rire, mais un coup d'œil sévère me l'interdit.
— Et c'est pas tout ! Regarde les capricornes (signe de Gérard), côté cœur !
Le message était sans équivoque :
— Une visite à un ami vous réservera quelques surprises.
Fier de son interprétation lumineuse des prévisions astrales, l'Amiral me lança un regard qui ne supportait pas la moindre remise en question.
— On pourrait alerter le secours en montagne, avançai-je naïvement. J'avais dit une énormité. Les secours en montagne étaient assurés par des gendarmes spécialisés, et Clint Eastwood était allergique à tout ce qui portait un uniforme. Au mieux, l'hélicoptère des secouristes serait accueilli par une volée de pierres.

Gérard servit deux petits blancs.
– J'ai déjà prévenu le Portos (Fernando). Il est prêt. Nous partirons cette nuit.

La tournure express des événements me laissait sans voix.
–... reste à savoir où.
La question était effectivement d'importance. Je descendis mon blanc cul sec. L'Amiral en profita pour m'assommer d'une affirmation imprévisible.
– Y'a que toi qui peux savoir où il est parti.
Je le fixai avec stupéfaction.
– Pourquoi moi ? ?
–... quand on regarde la Mer de Glace depuis la vallée, d'ici, quel est le premier sommet à sa gauche ?

Je répondis sans mesurer la portée irréversible de mes propos.
– Les Drus !
– Et quelle est la face la plus à gauche ?
–... la face nord !
– Nous partirons donc cette nuit à l'abordage de la face nord des Drus... Ça s'arrose !

Gérard disparut dans son arrière-boutique pour revenir une bouteille à la main et le sourire aux lèvres.

— Château-Haut-Brion Grand Cru Classé.

Fernando poussa la porte du bar :

— Je vois que j'arrive à temps !... Alors, c'est où qu'on va ?

Forcé de me plier

VI

Forcé de me plier à cette inquiétante tournure des événements, j'étais bien décidé à en finir au plus vite ; j'avais réussi à convaincre l'Amiral de partir l'après-midi même.

Cela présentait l'avantage substantiel de pouvoir profiter du téléphérique des Grands Montets. A cette époque de l'année, bien que celui-ci fût fermé faute de touristes, une benne montait tous les matins et tous les après-midi, pour l'entretien des installations. Nous pourrions ainsi gagner un temps précieux.
Gérard ferma son bar aussitôt, et Fernando sa boulangerie.

Le mercredi 19 novembre, à quatre heures de l'après-midi, nous nous retrouvions au Col des Grands Montets, à l'altitude très précise de 3 323 mètres.

Le ciel était chargé de brumes, mais une brève éclaircie vers le sud, au moment où nous nous encordions, me permit de montrer à mes compagnons les Drus, le Grand et le Petit, qui nous présentaient vus d'ici leur redoutable face nord. Gérard ne parut pas du tout impressionné par l'obstacle. Ni Fernando.

Je trouvai pour ma part cette vision tout à fait rassurante : la face était toute plâtrée de neige et donc impraticable. Si Clint Eastwood traînait par là, il devait attendre au bivouac du Rognon du Dru, au pied de la face.

Notre itinéraire commençait par la descente du glacier des Grands Montets. Après avoir franchi une crête rocheuse, une pente délicate, assez raide, nous permettrait de gagner le glacier du Nant-Blanc, et la base de la face.

Je montrai la direction à suivre à Gérard, qui était supposé aller devant, suivi de Fernando. Je fermerais la marche, assurant ainsi la sécurité de la cordée depuis l'arrière comme il est coutume de faire en descente.

Mes deux compagnons s'étaient équipés de leurs tenues de ski. Fernando avait insisté pour se coiffer d'un casque d'aviateur datant de la dernière guerre. L'air était doux et l'instant presque agréable. Nous tracions dans une épaisse couche de neige fraîche, dans le sens de la descente, c'est-à-dire sans véritables efforts physiques. Hormis le poids des sacs.

Celui de Fernando – de sac – juste devant moi, était monstrueux : le boulanger avait été chargé, au sens propre comme au sens figuré, de ce qui touchait à l'intendance de l'expédition.
Des pains monumentaux dépassaient de son rabat, tandis que casseroles, poêles, et timbales en tous genres, accrochées à l'extérieur, après avoir salué d'un joyeux tintamarre notre départ, s'étaient mis à battre d'un rythme symphonique la mesure de notre avancée.

Tobby suivait son maître de très près, sautant à chaque pas vers le sac prodigue, pour tenter d'y dérober saucissons et jambons qui dansaient sous les gamelles. Du sac de l'Amiral, s'échappait un effroyable bruit de bouteilles.

Je m'étais chargé de tout le matériel technique. En particulier un choix énorme de pitons et coinceurs, deux cents mètres de corde, et plein de sangles : de quoi battre en retraite à tout moment et au plus vite.

Le départ de notre cordée, qui n'était pas sans rappeler le départ des premières croisades pour la Terre Sainte, sous le regard incrédule des ouvriers du téléphérique des Grands Montets, ne dut que moyennement servir ma réputation de guide.

Notre progression fut tout de suite extrêmement cahotante. Le patron du petit bar de Val-Misère n'avait qu'une idée très approximative de la façon dont on faisait la trace dans la neige poudreuse. Déséquilibré par son sac, il avançait par bonds successifs, en zigzag, s'arrêtant tous les vingt mètres pour souffler et vérifier qu'il n'y avait pas de casse

dans son précieux chargement. Fernando, le pied semble-t-il un peu plus montagnard, le suivait dans ses arabesques, sifflotant — faux — des airs légers, et profitant de chaque arrêt pour bombarder son chien à coups de boules de neige, lequel quadrupède fuyait alors en aboyant de toutes ses forces.
Il eut fallu faire preuve d'une rare perspicacité pour deviner que cet équipage-là partait à l'assaut d'une des plus austères murailles des Alpes.

Et pourtant, malgré l'allure peu orthodoxe de notre cordée, j'avais l'étrange impression que nous aurions pu, comme ça, affronter pas mal de difficultés. Un peu à la manière des premiers alpinistes, qui emportaient avec eux tout le petit nécessaire de la vie courante : tonneaux de vin, chaise à porteur, lunettes astronomiques... et qui, ainsi équipés, réussissaient à accomplir des périples étonnants.
Ce n'était qu'une question de temps.

Nous parvînmes sans incident au passage rocheux qui fait raccord entre le glacier des Grands Montets et le glacier du Nant-Blanc. Cela faisait déjà une bonne douzaine de minutes que nous déambulions dans la neige.

L'Amiral s'arrêta brusquement en regardant le petit précipice qui fuyait sous nos pieds :
— Faut descendre ce mur ? interrogea-t-il avec inquiétude.
Il scrutait la raide muraille, l'œil soupçonneux.
—... faut prendre des forces alors !
Le barman s'assit sur une grosse pierre, s'essuya le front et extirpa de son sac une bouteille de vin rouge.
— Château Magdalena, Grand Cru Classé, 1964, une année exceptionnelle.
Pop !
Pop !
Fernando tendit trois verres à dégustation d'une contenance assez impressionnante.
Nous étions à présent hors de tous les regards. Le brouillard s'était refermé autour de nous.
— Santé !
Des notes cristallines s'échappèrent dans la brume.
C'était un nectar exceptionnel. La bouteille fut liquidée sans temps mort.

Je m'apprêtais à installer une corde fixe dans la descente de la barre rocheuse, pour servir de "main courante" à mes compagnons, quand, me voyant faire, Gérard m'interrompit :

— Qu'est-ce que tu fais ?
J'expliquai avec calme la stratégie qu'il était conseillé d'appliquer dans les descentes de ce genre.
— Après le Bordeaux ?

M'écartant de la main, l'Amiral s'engagea dans le passage sans hésitation, suivi par Fernando qui tenait Tobby sous un bras.

Cinq minutes plus tard nous prenions pied sur le glacier du Nant Blanc. La méthode de Gérard était efficace. Nous n'avions pas fini d'y avoir recours.
A cette époque de l'année et après l'été sec que nous avions connu, les crevasses étaient très nombreuses. Avec la couche de neige tombée ces derniers jours, recouvrant sournoisement la pente en surface, c'était autant de pièges qui menaçaient de nous précipiter dans les sombres entrailles du glacier.

J'hésitais cependant à passer en tête de cordée. Mon rôle de "garde-fou", à l'arrière de la caravane, ultime défenseur avant la catastrophe, semblait décisif. J'invitai donc l'Amiral à la plus grande prudence en lui conseillant de planter son piolet en avant de sa propre progression pour tâter le terrain.

Ce fut au tour de Fernando d'intervenir :
— C'est quoi le problème ?
— Le problème il est que sous cette couche de neige, c'est plein de crevasses ! répondis-je un rien agacé par le peu de crédit que l'on semblait accorder à mon expérience.

Sans autre forme de procès, le Portos lança une boule de neige devant Gérard et se mit à exciter La Serpillière de la voix :
— Allez Tobby ! File devant ! File !

Le chien ne se le fit pas dire deux fois et fonça dans la poudreuse.
— Mais t'es timbré ! Il peut se faire piéger comme nous ! Même les chamois des fois ils se font avoir !

Mes invectives étaient peine perdue. L'Amiral s'était remis en route sur les traces vagabondes du chien. Notre cordée reprit sa marche en fanfare, zigzaguant, montant, descendant, recroisant nos propres traces... Une demi-heure plus tard, nous prenions pied sur la moraine des Drus, de l'autre côté du sinistre glacier.

Le brouillard se déchira quelques secondes. Les derniers rayons dorés du soleil vinrent mourir sur les blocs de granit, nimbés d'une lumière apaisante.

C'était là les dernières caresses de l'astre des jours que nous allions goûter de longtemps. En quelques minutes, le froid reprit ses droits, le bleu s'arrogeant la primauté des couleurs. Les pierres géantes redevinrent des ombres.
Je guidais Gérard de la voix, vers le gros caillou qui forme sur la crête de la moraine comme une grotte, et qui sert d'emplacement de bivouac aux alpinistes. Nous y étions à la nuit tombante.

Il n'y avait personne au-dessous, mais un petit foyer, cerné de pierres en équilibre, dont les cendres semblaient encore chaudes, témoignait d'une fraîche visite...

Soulagés de pouvoir enfin…

VII

Soulagés de pouvoir enfin nous débarrasser de nos lourds fardeaux, nous nous glissâmes sous la grosse pierre. Les alpinistes, au fil des passages, avaient construit des murettes de chaque côté du surplomb, de sorte que l'on s'y trouvait à l'abri du vent. Avec la nuit, il s'était mis à faire très froid : ce refuge de fortune était une véritable aubaine.

Fernando lança un coup de briquet vers le fond de la grotte :
— C'est Versailles ici ! Y'a même un stock de bois !
— Ça s'arrose !

L'Amiral tira avec précaution son sac à l'intérieur de l'abri.

Fernando alluma une flambée. Quelques bougies, et notre antre avait aussitôt pris un petit air de fête.

— Demain, c'est le troisième jeudi du mois de novembre, annonça Gérard avec emphase.
Une bouteille d'un beau rouge rubis, léchée par les reflets des flammes, se promena sous nos regards : "Beaujolais Nouveau" annonçait l'étiquette.
— En principe il faudrait attendre minuit pour le boire, mais vu les circonstances... je suis prêt à faire une entorse exceptionnelle à la déontologie du métier.
Fernando avança trois verres dans l'espace le plus éclairé de la grotte.
Pop !
Pop !
Glou-glou-glou-glou-glou...

Il y eut un échange de sourires complices : cette joyeuse mélodie, nous étions les premiers — au moins de Val-Misère — à l'entendre. Le chant du Beaujolais Nouveau !
Au-dessus des hommes et de leurs règlements, nous bénéficiions déjà de divins privilèges.

— Il est bon, dit Gérard sans nuances, j'ai bien fait d'en prendre plusieurs bouteilles.

La grotte était devenue un espace hors du temps où dansaient les chaudes projections des flammes, résonnant de gouleyantes mélodies, parfumée des effluves généreuses du confit de canard qui commençait à rôtir au coin du feu. Nous attaquâmes notre troisième bouteille au moment de passer à table. Les pommes de terre étaient cuites, rissolées à point. Nous pas loin.

Gérard s'était mis à parler de Clint Eastwood.
Cet étrange personnage était originaire de Val-Misère. Très tôt, il avait manifesté une passion dévorante pour la montagne, qu'il parcourait le plus souvent en compagnie de son jeune frère. Tous deux étaient très doués.
Les horaires époustouflants qu'ils avaient réalisés sur les plus dures parois du massif en témoignaient. Quand survint un accident effroyable.

Lors de l'ascension de la célèbre voie Brown à l'Aiguille de Blaitière, un énorme éboulement les surprit alors qu'ils étaient aux deux tiers de la face.

Impuissant, Clint Eastwood avait vu son frère se faire mortellement bombarder par les blocs de granit, tandis que lui était trente mètres plus haut, en train d'installer le relais suivant, à l'abri sous un surplomb.

Clint avait alors dix-huit ans, et abandonna tous ses projets de montagne.

Il se mit à boire, puis vira ascète. Finalement, il disparut plusieurs années en Inde, d'où il revint entouré de croyances occultes.
— Pourquoi il en veut tant à sa grand-mère ?
Gérard sortit une nouvelle bouteille.
Pop !
Pop !
Visiblement ému, l'Amiral finit son récit.

Clint et son frère avaient perdu leurs parents très jeunes, dans un accident de voiture. La grand-mère s'était chargée de les élever. Mais elle avait horreur de cette montagne, qui lui avait arraché son mari en pleine force de l'âge, guide lui aussi, foudroyé par un ciel d'azur au sommet de la Dent du Géant. Elle faisait tout pour les empêcher de

partir là-haut. Le jour de l'accident une violente discussion les avait confrontés, au petit matin, au moment où ils s'apprêtaient à partir. Ils perdirent ainsi un temps précieux et décisif, qui leur aurait permis d'être tous les deux à l'abri au moment où s'est produit l'éboulement.
— C'est comme ça en tout cas que Eastwood voit les choses.
Il y eut un long silence.

Tobby ne partageait pas notre émoi, concentré sur les restes de nos agapes. On n'entendait plus que le craquement des pattes de canard sous ses mâchoires baveuses.
— Oh il en veut pas tant que ça à sa grand-mère, il s'occupe plutôt bien d'elle.
— C'est vrai ça, approuva Fernando, il vient lui chercher des croissants tous les matins.

La tristesse, avivée par les effets de l'alcool, se transformait peu à peu en sentiment d'injustice. Notre expédition prenait une tournure héroïque.

C'était une revanche sur la montagne, sur la vie et la mort, sur les grand-mères qui ne laissaient pas partir leurs petits-enfants en montagne le matin, et sur les pierres qui ne tombaient jamais au bon moment. La conversation avait repris, un ton plus haut.

Ce n'était pas cette ridicule face nord qui allait nous empêcher de porter secours à notre ami.
Il allait voir qu'il avait des copains prêts à tout pour le sauver.
Le Portos se leva brusquement en criant :
— Allez ! On part tout de suite !
La faible hauteur de plafond le rappela tout de suite à l'ordre. Il retomba à sa place, moitié assommé.

Je décidai de profiter du peu de lucidité qu'il me restait pour sortir arroser la moraine. Me levant avec précaution, j'enjambai le feu et sortis dans la nuit glacée.
— Tiens ça c'est une bonne idée, dit Gérard en m'emboîtant le pas.
Il avait plus mal évalué les contraintes de notre environnement. Il y eut un bruit sourd, suivi d'un "ouille !" de douleur.

Dehors les nuages avaient disparu. La nuit tout étoilée découpait avec précision les formes lourdes des montagnes.
Nous pissions tranquillement sous les Drus.

— Regarde ! chuchota soudain Gérard en pointant son doigt dans la nuit, il est là-haut !

Dans la masse noire des Drus, à peu près à mi-hauteur de la face, j'aperçus une petite lumière, comme une étincelle, qui s'éteignit aussitôt.
— Il a dû allumer une clope.
A scruter les ténèbres, nous finîmes par voir un minuscule point incandescent.

C'était émouvant, cette petite trace de vie, à la fois proche dans l'espace et loin dans le temps.
Elle avait la pureté d'une étoile.

Dans le vif du sujet

VIII

Une agréable odeur de café flottait sous la grotte. Fernando avait rallumé le feu et se tenait devant l'entrée.
– Il neigeote et y'a Tobby qu'a disparu, dit-il.

Gérard continuait de ronfler avec la régularité d'un bombardier en vol d'approche.

Dehors il faisait encore nuit, et le feu agitait notre abri de lueurs fantasmagoriques. Deux bosses plus tard, j'étais assis à côté de Fernando.

Nous bûmes notre café en silence en grignotant quelques biscuits au rhum de la fabrication du boulanger.

— Alors, on picole en juif ?
Gérard, encore tout en boule dans son duvet, s'avança en rampant vers le foyer.
— Il neigeote, et y'a Tobby qu'a disparu, répéta Fernando.
Il avait l'habitude de répéter chaque matin la même chose à tous ses clients.

Les sacs furent rapidement faits.
Il avait beau neiger, il était clair que nous partions à l'assaut de la face nord des Drus.

J'avais rangé toutes les règles élémentaires de prudence en montagne — du genre "on ne part en montagne que lorsque le temps est sûr", "la conquête des grandes faces nord est une affaire de patience, à l'affût du bon moment", "un bon alpiniste doit savoir renoncer" — au fond de ma mallette de bonnes intentions.
Il faisait encore nuit lorsque nous quittâmes notre refuge.

Tobby réapparut à ce moment-là.
Il était trempé, la langue pendante et l'œil bas.
— T'es descendu à Val-Misère pour sauter la chienne

du pharmacien, hein ? Elle a ses chaleurs... Canaillou ! lui lança le boulanger.
– C'est pas la seule à la pharmacie... Gérard se mit à siffloter.
Le Portos lui répondit par un large sourire.

Nous étions enveloppés de brouillard et un fin rideau de neige glissait sur nos parkas.

Je pris la tête de notre cordée, la boussole et l'altimètre à la main, pour suivre au mieux la petite crête qui sépare le glacier du Nant-Blanc du glacier des Drus, et ensuite contourner, à l'altitude de 2 775 mètres, l'arête nord-ouest des Drus.

Au fur et à mesure que nous montions, le temps s'éclaircissait peu à peu, et les petits flocons de neige se mirent à virevolter avec de moins en moins l'intention de se poser. Il avait d'ailleurs peu neigé durant la nuit et nos pas ne s'enfonçaient guère plus que la veille.

Vers l'altitude de 2 900 mètres, alors que le jour commençait à poindre, je tentais de percer du regard le banc de brume qui cernait la base de la muraille des Drus, pour y repérer le couloir Ryan-Lochmatter, début de l'ascension. Une zone plus claire apparut bientôt dans les nuages : le couloir était certainement là, juste au-dessus nous.

Les choses sérieuses allaient commencer...

Pour confirmer que nous étions bien sur la bonne route, un trou béant s'ouvrit devant nos pas : la rimaye, cette crevasse que l'on trouve à la base de toutes les faces, passait par là.
Nous nous regroupâmes au bord du gouffre.

— Si j'ai bien compris, dit l'Amiral, à partir d'ici, ça rigole plus !
— On va aussi encorder Tobby, dit Fernando. J'ai son harnais pour quand je l'emmène jouer au chien de traîneau. Tandis que nous ficelions comme un saucisson l'animal docile, Gérard entreprit de visiter son sac. Dans un impressionnant bruit de bouteilles qui s'entrechoquent, il finit par en extraire un litron à la forme tourmentée, étiqueté "Gnôle du Vieux", qu'il s'empressa d'ouvrir.
— Un petit coup de remontant, parce que ça à l'air de remonter par ici !

Fernando dressa dans la neige trois petits verres à liqueur et nous nous assîmes le dos tourné à la face des Drus, pour profiter une dernière fois d'un horizon — le mot étant présomptueux, vue la modeste portée de notre regard — aux formes douces et sans précipices. C'était un breuvage effroyable que la Gnôle du Vieux, l'impression au niveau de l'œsophage d'avaler des cristaux de quartz.

Il était temps d'attaquer l'ascension.

A cet endroit d'ordinaire les alpinistes s'élèvent "les anneaux à la main", c'est-à-dire en même temps, car le terrain n'est pas très difficile ; mais vu le peu d'expérience de mes compagnons, j'optai pour un mode de progression plus sûr, quitte à perdre un peu de temps. Toute la corde développée, je monterais d'abord installer un "relais" le plus solide possible en bout de corde, avec des pitons et des anneaux de sangle sur des becs de rocher, et ferais alors monter, fermement assurés, mes trois compagnons. J'expliquai à Gérard et Fernando les rudiments de l'assurance à l'épaule, puis entrepris de franchir la rimaye par un pont de neige sur la gauche ; un dernier regard à mes acolytes, l'air très appliqués dans leur nouvelle tâche, et je m'engageai sans plus de préambule dans le couloir.

La neige y était plutôt bonne. Les marches que je taillais étaient solides : la couche de neige fraîche avait coulé au fur et à mesure, et mes pieds se plantaient à chaque pas, d'une demi-chaussure, dans la couche sous-jacente.

Je regardai autour de moi : on aurait dû voir la trace de Clint Eastwood. Malheureusement, le brouillard, très dense à cet endroit, rendait la lecture du relief difficile.

Les crampons étaient inutiles ; seul le piolet enfoncé jusqu'à la garde, donnait une grande impression de sécurité. Au bout d'une cinquantaine de mètres, Gérard m'alerta de la voix qu'il ne restait plus de corde. Je me rapprochais de quelques rochers pour installer le relais.
Une belle lame de granit s'offrit à mes tentacules de sangle, m'assurant d'un amarrage inarrachable. Nous étions désormais attachés à la montagne. Pour combien de temps ?

J'assurai mes compagnons "en flèche", c'est-à-dire qu'ils montaient en même temps, l'un suivant l'autre, chacun au bout d'un des brins de la double corde. Tobby était relié à Fernando par une petite sangle. Ils s'étaient mis en route, concentrés sur chacun de leurs pas, le Portos poussant Tobby au-dessus de sa tête.

Un quart d'heure plus tard, nous étions à nouveau réunis, autour de la lame de granit.
— C'est rigolo ton truc ! s'exclama Gérard, rayonnant, on a l'impression de monter au grand mât !... Ça s'arrose !
Pour fêter l'événement, on reprit un coup de Gnôle du Vieux, dont l'Amiral avait gardé la bouteille sous l'anorak.
Tobby semblait trouver le voyage nettement moins passionnant, et regardait vers le bas en couinant.

L'ascension repartit, avec une forte impression de chaleur au niveau des oreilles.

Je m'efforçais de rester rive gauche du couloir, dans des rochers brisés, où la pente n'était pas trop raide.

De temps en temps, des petites coulées de neige glissant des vires supérieures venaient nous rafraîchir les idées, contrastant avec les brûlures infâmes de la Gnôle du Vieux. C'était une neige pulvérulente et glacée qui pénétrait partout, nez, oreilles, gants, manches, avec un supplément d'émotion quand elle se glissait dans le cou... Une douche écossaise qui avait le mérite d'animer tout alpiniste de velléités guerrières, lui faisant lever la tête vers le haut avec l'envie sérieuse d'en découdre.

Trois longueurs de corde plus tard, et à bon rythme, nous atteignions une large zone de vires très enneigées.

C'était en fait l'unique espace "paisible" de la face. Après, la paroi se redressait dans un formidable élan. Gérard ordonna une pose.
Une large plate-forme nous permit de nous asseoir confortablement, le dos appuyé contre la muraille et les jambes battant le vide.

C'était dix heures et demie. L'heure du petit blanc.
— Au moins ici on est sûr qu'il va être à la bonne température ! remarqua le tôlier du Port de la

Mer de Glace en débouchant une bouteille de Gewurztraminer. Fernando avait puisé dans son sac monstrueux une magnifique tomme de Savoie.
– Ah... ben tu vois, ça me plaît ton truc !

L'Amiral semblait survolté par cette première expérience d'alpiniste.

Le blanc coula en chantant dans la montagne, porté par l'écho. La tomme, était là, généreuse et offerte, mordante et onctueuse. Avec de larges tranches de pain de campagne, comme à son service, elle transcendait les senteurs subtiles du nectar alsacien.
La bouteille ne fit pas un pli.
– On va pas quand même pas "rester sur une patte", s'inquiéta Gérard en extirpant de son sac une deuxième bouteille du même cru.
Nous reprîmes l'ascension plutôt décidés. Le brouillard s'était à nouveau refermé sur nous, sans être toutefois trop épais. Nous distinguions assez les formes de la montagne – avec quelques visions fantasmagoriques, bien naturelles après les deux litres de blanc – pour y choisir notre itinéraire.

C'était comme si nous appartenions à un monde clos, d'une centaine de mètres carrés d'espace vital, mobile et sans aucune attache avec le monde extérieur.

J'attaquai une raide cheminée. Un vieux piton à sa base, miraculeusement dégagé de la neige, indiquait que nous étions dans la bonne direction. Son ascension réclamait néanmoins vigilance et détermination. Ce passage, débonnaire en été, était tapissé de glace. Une médiocre plate-forme me permit de mettre mes crampons en cours de route. Au bout d'une bonne demi-heure de lutte, j'atteignis avec soulagement une bonne vire de relais.

J'allais pouvoir observer les talents d'alpiniste de mes camarades. Je leur conseillai de mettre leurs crampons avant d'aborder la cheminée.

Gérard s'élança sans hésiter dans la bagarre, suivi du Portos, avec Tobby carrément attaché sur le sac. Outre deux solides pitons, j'avais installé au relais un système de "mouflage", sorte de démultiplication qui permet de hisser une personne en difficulté.

Cela ne s'avéra pas être une précaution superflue :

au bout de quelques mètres mes deux compagnons étaient pendus à leurs cordes respectives, tournant dans le vide, à la recherche d'hypothétiques marches d'escalier. Nous étions entrés dans le vif du sujet. La journée était déjà bien avancée lorsque nous atteignîmes le sommet d'un pilier triangulaire.

Depuis le passage mouvementé de la première cheminée, nous avions pris la décision de hisser les sacs, Tobby compris. (Ceux qui ont déjà hissé des sacs en paroi se doutent par quelles infortunes avait dû passer la pauvre bête).

Si cela permit à Gérard et Fernando de grimper avec plus d'agilité, l'effort de hissage se révéla considérable. D'autant qu'il fallait prendre un soin extrême à éviter tous les chocs, le contenu du sac de Gérard en particulier s'avérant vital pour le maintien du moral des troupes : non seulement l'éventualité de briser une bouteille était insupportable, mais il fallait aussi veiller à ce qu'aucun mouvement brusque ne menace de fatiguer irrémédiablement certains grands crus. Transporter un service rare de porcelaine de Chine n'eût pas réclamé plus d'attentions.

La tactique finalement adoptée fut que Fernando me rejoint en premier pour m'aider à hisser les sacs, sacs que l'Amiral suivait alors tout en grimpant, les poussant et guidant de son mieux.

Toutes ces manœuvres étaient très athlétiques ; nous commencions à marquer quelques signes bien légitimes de fatigue.

— On va peut être s'arrêter là pour aujourd'hui, suggéra Gérard en s'affalant sur une modeste vire, on a bien bossé.
Je savais pour ma part que nous en avions fini avec le terrain "facile"...

Grâce à une petite pelle à neige que j'avais eu l'heureuse idée d'emporter, nous investîmes nos dernières forces à dégager une belle plate-forme, accolée à la muraille, qui à cet endroit devenait verticale.

La nuit nous surprit alors que nous nous enfilions dans nos duvets, serrés les uns contre les autres. Fernando attaqua la cuisine du soir.

Tout le monde était arrimé à la montagne par une solide couronne de pitons, plantés au-dessus de nos têtes. Le brouillard était plus dense, accentuant notre impression d'isolement. Quelques flocons de neige flottaient dans l'air.
Ce temps instable avait l'avantage de nous protéger des grands froids qui accompagnent les périodes de beau temps à cette époque de l'année.

Tobby, calé entre Gérard et le Portos, s'était aussitôt endormi. La journée avait été rude pour le pauvre chien, qui avait accepté toutes ses misères avec un héroïsme admirable. A peine avait-il poussé quelques aboiements de terreur, lorsque, à la suite d'une fausse manœuvre, le sac sur lequel on l'avait juché avait basculé dans le vide, pendulant épouvantablement dans les airs.
— On en a fait combien ? s'enquit Gérard.
— Un quart environ.
— Déjà ?!... Ça s'arrose !

Je n'osai dire qu'il s'agissait, de très loin, du quart le plus facile, que l'on remontait, lorsque la paroi était sèche, en moins de deux heures.

— Qu'est-ce-que tu nous mijotes, bosco ?
Le Portos, affairé dans son minuscule "coin-cuisine" répondit avec solennité :
— Terrine de foie gras,
... Cuissot de chevreuil au coulis de framboises,
... garni de riz aux girolles.
C'était la saison de la chasse et des champignons. Fernando, qui était apprécié de tout le pays pour ses talents de boulanger, avait dévalisé son congélateur de tous les trésors culinaires qui témoignaient de l'affection que lui portaient les inconditionnels amateurs de son pain.

Il s'était mis à cuisiner sur un inquiétant brûleur prêté par un Anglais pour l'occasion. L'engin fonctionnait à essence et lançait des flammes diaboliques à chaque fois qu'on le mettait en marche, ou qu'on faisait mine de le déplacer. On ne pouvait néanmoins reprocher à ce dangereux ustensile son efficacité : le temps de déguster le foie gras, accompagné d'un excellent Chablis, il avait transformé en eau et porté à ébullition une quantité de neige équivalente à un litre d'eau. A l'évidence, ce réchaud infernal allait être un élément décisif pour la réussite de notre entreprise.

— Je verrais bien un petit Bourgogne avec le chevreuil, dit l'Amiral, le problème, c'est qu'il va être froid.
— Amène ! ordonna Fernando.
Le boulanger se saisit de la bouteille de Gevrey-Chambertin et la glissa sous la Serpillière. L'animal, brusquement réveillé par le contact glacial du litron, regarda son maître avec un air fortement réprobateur. Dix minutes plus tard, le vin était à température.

J'avais placé ma lampe frontale juste au-dessus de notre bivouac : son champ de lumière, cerné par le brouillard, donnait à notre campement l'allure d'une soucoupe volante suspendue en plein ciel. Nous étions coupés du reste du monde. Par la nuit, le silence, les brumes, le vide, l'ignorance par quiconque de notre position.

Comme des navigateurs oubliés au milieu de l'océan, nous n'avions plus de rapport avec le monde que culturel.
Gérard semblait être perdu dans les mêmes réflexions philosophiques que moi :
— Y-z-ont pas fait que des conneries les hommes !

Il regardait la robe de son Bourgogne avec admiration. Le Portos servit le chevreuil.

La journée nous avait creusé l'appétit : dans un silence recueilli, nous festoyâmes.

— Cigares ?
Gérard avait sorti de sa poche une boîte de havanes. Une fumée âcre vint bientôt se mêler à la brume environnante.

Nous nous étions effondrés dans nos duvets, les pieds battant le vide.
— Moi, ce qui m'étonne, c'est qu'il tourne pas en rond.
Le boulanger se marrait tout seul.
—... il prend toujours à gauche !
— Tu te rappelles Gérard, le coup de la 4L des flics ?
— A l'époque, quand il avait sa voiture ?... avant qu'y fasse trois tonneaux avec, dans la ligne droite à l'entrée de Val-Misère ? Fallait le faire, trois tonneaux dans une ligne droite !
L'Amiral s'était mis à rire à son tour.

Fernando aimait bien raconter les déboires automobiles du pilote Clint Eastwood.

— Avec cette manie de prendre à gauche, ça faisait un bon moment qu'il tournait en rond autour du cimetière, quand les flics ont essayé de l'arrêter ! Ils se demandaient ce qu'il foutait, les pandores, à tourner autour de ce truc depuis deux heures !
— Eh bé, pas moyen de l'arrêter !

L'Amiral s'était redressé et servit une tournée de Gnôle du Vieux.
— Alors le plus gradé a décidé de faire un barrage avec l'estafette !... La bonne idée !
— Tu crois qu'il se serait arrêté ?... Que dalle ! Il leur a foncé dessus ! Et PAN ! Dans l'estafette des flics !!!

Gérard était plié de rire.
— Quand ils l'ont sorti de sa bagnole à moitié assommé parce qu'il avait tapé le pare-brise, tu sais pas ce qu'y s'est mis à gueuler ? "Vous périrez tous brûlés, suppôts de Satan !!...."
— T'imagines la tête des gendarmes ! C'était des nouveaux qui le connaissaient pas ! Ils l'ont fait souffler dans le ballon... il avait rien bu, alors ils l'ont amené au poste, avec la 4L...

— Parce que l'estafette avec le pète qu'elle avait, ils étaient pas prêts de la faire rerouler !...
— Attends, c'est pas fini !...
Fernando exultait.

— Ces cons-là, pour descendre à Chamonix, ils l'avaient mis sur la banquette arrière, pas attaché... tu parles ! Qu'est-ce-qu'il a fait ? A la première intersection, il a sauté sur le volant pour virer à gauche !!! Le flic qui conduisait, il a rien compris ! Et PAN ! Dans une bagnole qui montait !
— C'est le mec qui remontait qui me l'a raconté !
— Tu parles ! Lui, il s'est demandé ce qu'il lui arrivait ! Il roulait bien tranquille, d'un coup une bagnole de flics qui lui fonce dessus !...
— Et PAN !

A chaque PAN, Fernando claquait dans ses mains, faisant sursauter la Serpillière, qui aurait bien voulu dormir tranquille.
— Je peux te dire qu'il y est resté un moment au poste, Eastwood !
—... et des tours de cons comme ça, il leur en a fait quelques-uns aux keufs de Val-Misère ! applaudit l'Amiral, plutôt fier de son client.

— Ça s'arrose !

Gérard remit une tournée de Gnôle du Vieux.
— Non, je vais vous dire, moi, pourquoi il tourne toujours à gauche. L'Amiral avait pris un ton mystérieux.
— Un jour, il m'a expliqué.

Après cet épisode burlesque de sa vie, nous allions pénétrer le monde fantasque, hétéroclite, et imprévisible de la pensée eastwoodienne.

— Videz vos verres, ou vous allez rien y comprendre ! Malgré l'ardeur de la tâche, nous descendîmes nos verres cul-sec. Le barman servit une nouvelle tournée.
— Allez !

Après ce traitement de choc, nous étions dans les dispositions idéales pour adhérer corps et âme aux divagations les plus extravagantes.

— Dans son esprit, commença l'Amiral, il y a notre monde, le monde dans lequel nous vivons, et puis un autre monde, qu'il appelle le monde des "Dorées".

— Les Dorées, que nous ne pouvons voir que lors de certains rêves hallucinatoires, veillent sur nous. Si elles en ont envie.
Ce sont des êtres d'une beauté merveilleuse, à la peau dorée, comme couverte d'or.

—... Le problème pour les Dorées, c'est d'anticiper sur nos intentions pour nous éviter de fâcheux événements. Comme, pour lui, la vie se résume à une succession de choix entre la gauche et la droite, prendre à gauche voulant aussi bien dire tourner à gauche, s'installer au bar à gauche, acheter le produit le plus à gauche sur l'étalage, rester assis chez lui ou sortir par la porte qui est à gauche de sa chaise... Il a décidé de toujours "prendre à gauche".

—... Comme ça, les Dorées, qui ont une vision plus large des choses, peuvent en quelque sorte préparer le terrain, sachant toujours ce qu'on va faire.

—... Attention ! Tout cela n'est valable qu'en cas d'indécision ! La finalité de la vie étant d'avoir toujours fait le juste choix.
— Le problème de Eastwood, c'est qu'il sait jamais ce qu'il va faire ! pouffa Fernando.

– Et le coup de la marche arrière le dimanche ?
– Ça, ça touche à la Vérité Profonde.
Gérard avait pris son air le plus solennel, tout en liquidant son quatrième verre de gnôle.
– Y dit que chaque être vivant a un parcours bien défini à faire en ce bas monde. Si jamais on s'égare, qu'on se gourre de chemin, les Dorées nous le font sentir.
– Il faut alors revenir en arrière. Mais en marche arrière ! Sinon, on inverse notre position par rapport à la gauche et la droite.
La folie de Clint Eastwood reposait sur une logique implacable.
–... et pourquoi le dimanche ?
– Là, j'ai pas tout compris, consentit Gérard.

Une dernière rasade de poison nous transporta dans les bras de Morphée, ou, mieux, d'une Dorée, bercés par le raclement régulier des dents de Tobby qui avait renoncé à dormir et se vengeait sur l'os de chevreuil.

Contrairement à mes prévisions, ce n'est que le surlendemain que nous parvînmes à la niche des Drus, un névé suspendu au beau milieu de la face.

La bataille avait été rude : le rocher était verglacé, rendant toute progression en escalade libre très périlleuse. Nous nous élevions donc essentiellement en escalade artificielle, à grands renforts de pitons et d'étriers. Une technique plus sûre, mais d'une extrême lenteur.

Cela nous valut un bivouac en pleine face, surpris par la nuit et contraints de nous installer dans des hamacs de paroi, suspendus au-dessus du vide par des pitons. A l'évidence la Serpillière n'était pas un chien des îles : il n'avait pas du tout apprécié cette nuit-là.

Ce soir-là, côté menu, Fernando avait démontré un certain sens du défi en nous imposant une fondue savoyarde. C'était "temps de la manger à cause du pain blanc qui commençait à rassir".
On imagine les exercices que réclamait chaque tentative de trempette dans le traditionnel poêlon que Fernando, héroïque, avait installé sur son propre ventre. Gérard, le plus éloigné du cœur de la bagarre, ayant dû prolonger sa fourchette avec le manche de la pelle à neige.

Pour des raisons évidentes de sécurité, nous bûmes la Roussette directement à la bouteille, ce qui contraria Fernando.

Nous étions enfin arrivés à la niche des Drus. Il devait être environ midi. Nous décidâmes de casser la croûte.

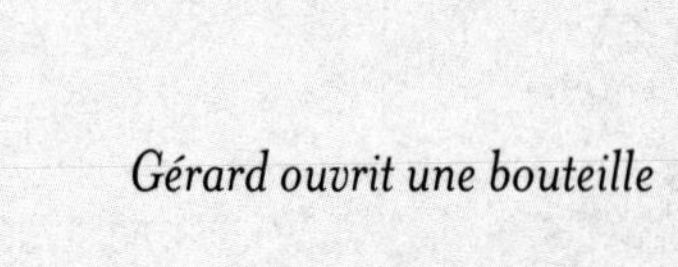

Gérard ouvrit une bouteille

IX

Gérard ouvrit une bouteille de Châteauneuf-du-Pape 1976. Fernando déballa du saucisson d'âne, des rillettes du Mans et la quotidienne tomme de Savoie. Le pain de campagne, conservé par le froid avait gardé tout son moelleux. Une petite vire, au bord même du vide, nous accueillit avec complaisance.

Depuis que nous étions dans la face, le brouillard ne nous avait plus quittés.

Au-dessus de nos têtes, nous devinions la raide pente de la niche des Drus.

— On va remonter ce truc ?

— Non, à partir d'ici on file à droite, pour rejoindre le passage clé de la face, avec la célèbre

fissure Allain. On l'évitera d'ailleurs par la droite, par la fissure Martinetti.
— Ça fait deux fois à droite ça, objecta l'Amiral, m'étonnerait que Clint Eastwood soit passé par là.

Je n'avais jamais eu, jusque-là, dans ma vie d'alpiniste, à gérer ce genre de paramètres pour le choix de l'itinéraire.
— A mon avis, continua Gérard, on ferait mieux de filer à gauche.
— Impossible. La voie, c'est à droite.
— Je suis sûr qu'il est passé à gauche.
— Mais à gauche, c'est impossible, je te dis !
Je perdais mon calme.
— Im-pos-sible ! Y'a jamais personne qui a été là-bas ! Personne !

C'était faux. Un itinéraire plus direct parcourait l'impressionnante muraille qui domine la niche à cet endroit. Cette voie, la voie des guides, était il est vrai très rarement reprise. Je préférais ne pas en parler à mes acolytes, ce qui aurait accrédité l'hypothèse de l'Amiral, nous envoyant au-devant de difficultés encore bien pires… Notre équipée était assez grave comme ça.

Gérard avait baissé la tête et reprenait des rillettes.
J'étais bien décidé à ne pas céder.
La bouteille de Châteauneuf ayant rendu ses derniers aveux, il était temps de nous remettre en route.

Nous franchîmes un petit muret qui nous posa de plain-pied dans la niche des Drus. Je traversai avec résolution sur la droite.
Tobby se mit à grogner.
— Y veut pas y aller, commenta simplement Fernando.
— Comment y veut pas y aller ? J'étais hors de moi.
— C'est quand même pas ce cabot qui va décider de l'endroit où l'on doit passer !
— N'empêche qui veut pas y aller.
— Mais vous vous rendez pas compte ? ! A gauche, on va se retrouver dans cette muraille, là-bas, vous la voyez ? Vous voyez la gueule qu'elle a ! ?... Vous vous y voyez ?? En plus c'est bourré de glace !... A droite, c'est là que tout le monde passe ! Y'a des pitons, des relais solides, du rocher solide, la ligne est évidente ! C'est l'itinéraire normal !

Mes trois compagnons restaient silencieux.

J'avais très mal choisi le dernier mot de mon argumentaire.
Notre entreprise n'avait rien de normal.

Nous nous engageâmes le long du névé, sur la gauche de la niche. La pente était raide. Il n'était pas envisageable d'avancer les anneaux à la main pour gagner du temps. Simplement nous ne hissions plus les sacs. Je plantais des broches à glace tous les dix mètres environ, sous la couche de neige, afin de sécuriser notre progression.

Au bout d'une centaine de mètres, la couche de neige devint plus épaisse : nous étions à présent dans une zone à l'abri du vent d'ouest, protégée par l'éperon nord-ouest des Drus, et la neige fraîche n'avait pas été soufflée. Les premières traces visibles de Clint Eastwood apparurent ici.

Très troublé, j'installai aussitôt un relais sur trois broches et fis monter mes compagnons.

Nous nous retrouvâmes, sur notre petite plate-forme de relais, à regarder sans y croire cette trace irréelle qui s'élevait au-dessus de nous. Les empreintes, au

fond des marches, étaient bien dessinées : Clint Eastwood montait pieds nus.
— Mais qu'est-ce-qu'y trimbale? remarqua Fernando.

A côté de la trace de montée, à gauche, s'étirait une petite tranchée, plate et régulière, large d'une cinquantaine de centimètres.
— Y doit traîner son sac.
— Mouais, fit Gérard, sceptique.

Nous reprîmes l'ascension. Notre trajectoire était désormais inscrite devant nous.

La nuit tomba alors que nous atteignions le sommet de la niche. Une superbe plate-forme, au pied d'un grand dièdre qui se perdait dans les brumes et l'obscurité, fut la bienvenue.

Ce grand dièdre était d'ailleurs la seule information que je possédais sur le reste de la face. Il fallait le remonter, puis les difficultés allaient croissantes jusqu'à l'arête sommitale du Petit Dru, avec de nombreux passages en surplomb... En hauteur pure, nous avions déjà gravi plus des deux tiers de la face ; mais en difficulté technique, ce qui nous attendait était sans commune mesure avec ce que nous avions franchi au-dessous.

Nous n'étions pas prêts de revoir une plate-forme comme celle qui nous accueillait ce soir. J'alertai l'attention de mes camarades sur ce seul point.
— Bon ben... on va profiter qu'on peut encore mettre les verres à plat !
Gérard plongea le nez dans son sac à dos.
Fernando avait annoncé au menu des bavettes à l'échalote, avec des frites.
Il coupait déjà les pommes de terre en tranches.
J'étais très curieux de voir comment elles allaient être frites...
La réponse était on ne peut plus simple.

Fernando extirpa de son sac, aussi inépuisable que celui de Gérard, deux litres d'huile et une belle friteuse noire, en fonte... Devant mon air déconcerté à l'idée qu'on hissait ça depuis trois jours, Fernando se fendit de son plus beau sourire.
— Y'a pas de mystère ! Si on veut manger des bonnes frites, y faut une bonne friteuse ! C'est logique !

L'Amiral, histoire de changer, avait sorti une bouteille de Ricard pour l'apéro. La première fonction du réchaud fut de faire fondre de la neige pour hydrater la célèbre boisson sudiste.

Il faisait à présent complètement nuit. Comme tous les soirs depuis notre départ, le brouillard s'était épaissi, mais la température extérieure, l'anis aidant, était tout à fait supportable. Cet emplacement de bivouac était de loin le plus luxueux que nous ayons connu : une large vire, horizontale, de sept ou huit mètres de longueur, bien plate et large de près de deux mètres.

Le pastis allait bon train. L'Amiral, profitant de notre soif, exerçait ses talents de barman avec un zèle dangereux.
— 'ferais bien une petite pétanque en buvant mon pastagas, dit-il soudain, les yeux brillants.
— Té, ça c'est une bonne idée !
Je n'avais pas encore réalisé qu'il s'agissait d'une proposition sérieuse, que les deux compères grattaient la neige pour en extraire quelques pierres plus ou moins rondes.
— On joue l'apéro ?

Tobby s'était mis aussi, sans savoir pourquoi mais avec beaucoup d'enthousiasme, à fouiller la neige en remuant frénétiquement la queue.

Quelques minutes plus tard, la partie de boules commençait. Le bouchon de la bouteille de Ricard, de toute façon condamnée, servait de cochonnet. Le terrain de jeu était éclairé par les flammes gesticulantes du réchaud.
— Tire-là c'te boule !
— Allez, trois au carreau !

En ces hauts lieux, cet univers minéral, austère, glacé et inhospitalier de la très haute montagne, on aurait presque cru entendre le chant des cigales.

Un boulanger et un barman faisaient une partie de pétanque dans la face nord des Drus, de nuit, en plein hiver ou presque ; les tournées de pastis pleuvaient comme sur la Canebière.
Les frites rôtissaient tranquillement dans la friteuse. En fonte. Je m'efforçai de trouver la situation banale.

C'est cette nuit-là, vers minuit, alors que nous dormions du sommeil du juste, que se produisit l'éboulement. Un énorme bruit nous réveilla tous les quatre en sursaut, une espèce de monstrueux raclement, avec en même temps, la sensation que toute la montagne tremblait. Tobby s'était mis à hurler à la mort.

Une série de chocs, sourds comme des grondements de fauves, se propageait dans le brouillard au-dessus de nos têtes. Une énorme masse de rocher avait dû se détacher et roulait dans le vide, entraînant dans son sillage tout ce qu'il pouvait y avoir d'instable dans la face. Il y eut un formidable crash – le bloc avait dû exploser sur une vire – puis le sifflement caractéristique de blocs de rocher en vol.

Les bruits d'impacts, effroyables, étaient de plus en plus proches... Nous ne pouvions rien faire, si ce n'est nous plaquer contre la muraille. Le brouillard, très dense à cet instant, accentuait notre sensation de vulnérabilité et d'impuissance. Le bruit était devenu insoutenable. La fin était imminente.
Des étincelles, presque des flammes, jaillirent de la nuit : en une seconde, nous réalisâmes que l'éboulement ne se déroulait pas au-dessus de nos têtes, comme nous en avions la certitude, mais sur la partie droite de la face...

Après avoir senti la mort nous fondre dessus, la vie, ce miracle, nous coulait à nouveau tout chaud dans les veines, bouillait dans nos têtes.
— Ah, saloperie ! maugréa Gérard. Saloperie de saloperies !
Le vacarme se déplaçait ; après être passé à notre hauteur, il roulait maintenant vers le bas.

Il y eut un instant de silence, comme suspendu. Puis de nouvelles explosions, plus lointaines. Les blocs avaient dû rebondir sur la niche des Drus et plonger, dans un ultime bond, jusqu'au glacier.

Un banc de brume, chargée de poussière jaune, répandit une odeur âcre autour de nous. Les bruits d'explosion s'éloignèrent, s'espaçant dans le temps. Il y eut encore quelques lointains sifflements. Puis tout redevint calme.
La nuit s'écoula sans autre alerte.

Au petit matin, comme les jours précédents, une courte éclaircie dans les nuages dévoila discrètement le monde qui nous entourait. Nous aperçûmes la niche sous nos pieds : la neige était noire, couverte de traces d'impacts. Le pilier de la face nord laissait apparaître de larges tâches gris clair, comme si sa carapace était à vif. L'éboulement avait balayé l'itinéraire normal de la face nord des Drus.

Je regardai Tobby avec une soudaine affection.

X

Il nous fallut quatre jours pour atteindre les vires qui marquaient la fin des grosses difficultés. Quatre jours de rude combat, pendus dans les étriers, où nous avions dû avoir recours à tous les artifices de l'escalade moderne : coinceurs, friends, micro-pitons, ancres...

Le temps était resté opaque mais clément, et, la qualité des ravitaillements aidant, nous avions progressé avec une grande régularité. Pas vite, mais sûrement. Fernando le rappelait chaque soir :
— Qui va piano va sano et qui va sano, va lontano...

Au cours de ces longues journées, j'avais pu apprécier les étonnantes facultés d'adaptation de mes deux compagnons. Maintenant à l'aise dans le monde vertical, ils avaient, chacun à leur manière, mis au point une technique personnelle d'escalade.

Fernando grimpait en s'agrippant à tout ce qu'il voyait, pitons, mousquetons, sangles, corde d'assurance, corde de l'Amiral, rarement le rocher, tout à la force des bras. Ses pieds battaient le vide à toute vitesse, tandis qu'il exécutait une bonne dizaine de pirouettes sur lui-même à chaque longueur de corde. Vu du dessus, l'ensemble paraissait d'une extrême précarité, mais Fernando arrivait toujours à s'en sortir.

Gérard, moins puissant, utilisait une technique plus subtile, mais tout aussi spectaculaire : ses deux mains bloquées sur la corde d'assurance, il pendulait à droite et à gauche plusieurs fois, à la recherche d'aspérités pour ses pieds, puis, d'un coup, bondissait vers le haut en poussant un "Râââ !" libérateur. Plus il s'élevait, plus les "râââ !" s'étranglaient. Plus les propulsions perdaient en efficacité. Il finissait à moitié suffoquant, en pendulant de façon de plus en plus désordonnée, glissant, se rattrapant, stoppant net tout mouvement pour plonger vers le haut et

enfin venir s'effondrer au relais. Un "à boire!" moribond concluait l'exercice.
Bons bricoleurs, ils s'étaient accommodés avec beaucoup de réussite du délicat et décisif travail de dépitonnage : aucun clou, aussi malignement coincé fut-il, n'avait résisté à leurs ardeurs.
C'était devenu une sorte de jeu. Ils arrivaient au relais, brandissant les précieuses reliques en triomphant, les mains déchiquetées.

Quand ils ne grimpaient pas, ils patientaient, parfois de longues heures, en commentant les derniers événements de Val-Misère. J'entendais monter des bribes de conversation, des éclats de voix et des fous rires, où revenait souvent le même sujet cher à Gérard : la taille du cul de Roselyne. La pharmacienne devait avoir les oreilles qui sifflaient.

Au fur et à mesure que nous nous élevions, son arrière-train prenait des mensurations de plus en plus spectaculaires.

— C'est pas un cul, c'est un continent! avait fini par balancer le barman.
— Un continent peut-être, mais c'est pas l'Antarctique!

Une fois seulement, en franchissant un passage dans la zone la plus raide de la face, les choses avaient failli tourner au vinaigre.

C'était une fissure délicate, trop large pour pouvoir y mettre des protections, coinceurs ou friends, mais trop étroite pour pouvoir se glisser à l'intérieur. Je m'étais donc élevé par une succession de reptations, à moitié coincé dans la fissure, qui me rejetait vers l'extérieur, à moitié dans le vide, le pied droit et la main droite battant les airs. Au bout d'une dizaine de mètres d'escalade inconfortable et périlleuse, j'avais fini par venir buter sous un gros surplomb noir. La suite des événements était inquiétante. Il fallait coûte que coûte franchir ce surplomb, "à l'arraché", en espérant qu'il y ait des prises pour se rétablir au-dessus.

Sans plus attendre, je m'étais lancé dans la bagarre... Mes mains avaient tâté la sortie du surplomb. Il n'y avait pas de prises. Rien que des rondeurs à faire pâlir le cul de Roselyne. Je ne pouvais plus ni monter, ni redescendre.
Je m'étais mis à transpirer à grosses gouttes. Comme tout alpiniste dans cette situation, j'avais

évalué la hauteur du vol qui m'attendait : au bas mot, vingt mètres… Je m'étais agrippé sauvagement au peu d'aspérités qui me tenaient encore… Ne pas tomber ! Juste, ne pas tomber ! Il n'était plus question de monter ou de descendre : juste de ne pas tomber. L'avenir était à très court terme.

Il y avait eu une petite brise, très douce. Un brin de corde blanchi par le temps était venu me rouler sous les yeux… Sans même vérifier s'il tenait, je l'avais attrapé à deux mains : il tenait.

Deux secondes plus tard, j'étais au-dessus du surplomb. Le vieux bout de corde était fixé à un piton, quelques mètres plus haut.

Il n'y avait personne. Que la même solitude glacée. Quand Gérard était arrivé au relais, je lui avais expliqué ce qu'il s'était passé.

— Les Dorées veillent, m'avait-il répondu, énigmatique.
J'avais soigneusement replacé le petit brin de corde, de telle sorte qu'il vienne mourir au bord du surplomb.

Gérard m'avait regardé faire, m'adressant un étrange sourire.

Cela faisait exactement huit jours que nous étions partis.
La distance avec le monde extérieur était devenue incommensurable.

Nous installâmes notre huitième bivouac

XI

Nous installâmes notre huitième bivouac à la nuit, sous un large surplomb.

Nous n'étions plus très loin du sommet : tout au plus une journée d'escalade, en terrain plus facile. Les sacs s'étaient bien allégés. Nous n'aurions plus à les hisser.
— Bon ben si demain on est au sommet, dit Gérard, on va finir les munitions !

Le Portos déballait déjà l'artillerie lourde : réchaud, poêle géante, plus un énigmatique faitout que je voyais pour la première fois :
— Et qu'est-ce-que vous diriez d'une choucroute ?
— Ça permettra de finir le blanc.

Le faitout ôta son chapeau et découvrit une choucroute pour au moins dix personnes.
Elle sentait encore bon, malgré ses huit jours de voyage.
— Vous allez rire, c'est Roselyne qui me l'a préparée !
— On est tranquille, c'est sûrement pas une recette minceur...

Le surplomb au-dessus de nos têtes formait une espèce de grotte, qui s'avançait dans la face. Nous jouissions ainsi d'un espace vital suffisant pour nous allonger, et même marcher un peu à plat. C'était, après l'inconfort des jours précédents, un luxe inespéré.

Nous nous étions décordés, pour soulager nos côtes meurtries par le baudrier. Gérard était survolté :
— On est des héros ! On a coulé les Drus ! On a coulé les Drus !... ça s'arrose !
Les dernières réserves de blanc, à peine trois bouteilles, furent liquidées en un rien de temps.
— ça sent la fin de stock ! maugréa le tôlier du Port de la Mer de Glace en farfouinant dans son sac.
— Hé, hé ! Regardez ça !
Fernando avait extirpé une bouteille secrète de ses

réserves. — Du Porto du père ! Je l'avais amené pour fêter la victoire ! C'est du bon !
Un Porto exceptionnel. Plutôt fort.

La mine écarlate, nous attaquâmes les délices de Roselyne.
— Elle est plutôt bonne cuisinière ta pharmacienne !
Fernando releva le compliment, romantique.
— J'avais déjà remarqué qu'elle savait faire reluire les saucisses !
La choucroute connut un funeste sort. Le Porto aussi.
L'Amiral sortit trois petites bouteilles de rhum.
— Vous savez comment qui boivent ça, les marins ?
Il était inutile de nous faire un dessin.
— Allez, en chœur !
J'eus l'impression de prendre feu.
— Ah ! Ah ! Ah !... ça c'est de la médecine !
...Ah ben si on m'avait dit que j'aurais grimpé un truc pareil ! Bongu de bongu ! On boira jamais assez pour fêter ça ! Bongu de bongu !
— C'est nous les gars de la Montagne ! entonna l'Amiral, archifaux...
— C'est nous les gars de la Montagne !
— Ah ! Ah ! Qu'il fait bon, fait bon
— Ah ! Ah ! Qu'il fait bon, fait bon !

— C'est nous les gars de la Montagne !
— Ah ! Qu'il fait bon... grimper les monts !
Fernando attaqua un air de fado, encore plus faux.
La Serpillière s'était mise à hurler à la mort.
— Je crois bien qu'il en reste une dernière.
Gérard replongea dans son sac avec fébrilité.

Le pire était à craindre. Il arriva.
Gnôle du Vieux.
Nous affrontâmes le premier verre en silence, pour mieux faire face à l'adversité. L'état général des troupes était devenu d'une gravité sans précédent.
— Demain, c'est la nouvelle lune, hoqueta le bistroquier.
Quelques étoiles apparurent au firmament. Nous étions proches de sortir des nuages.
— Ah, des étoiles ! Faut faire un vœu en buvant un canon cul-sec !... Feu !
L'éclaircie dans les nuages fut de courte durée et les brumes nous cernèrent à nouveau.
— Clint Eastwood, y dit que les étoiles, c'est des gens. Gérard parlait avec d'énormes difficultés.
— Mais y faudrait que le temps, ben il aille à toute vitesse pour qu'on voit que c'est des gens.
A cette heure de la nuit, et dans notre état, les

cours d'astrophysique nucléaire du professeur Eastwood étaient assez hermétiques.

Mais Fernando, pourtant lui aussi très atteint, semblait suivre sans difficultés.
– C'est son truc à Eastwood, le temps qui va à toute vitesse. Y paraît qu'une fois il est resté planté trois jours devant la statue de Saussure et Balmat à Chamonix, en prétendant qu'à force de les regarder, il finirait par les voir bouger. C'est les flics qui l'ont viré parce qu'il faisait peur aux touristes, avec son air illuminé.
– Dès qu'il les voyait s'approcher, il se mettait à leur danser sous le nez, au ralenti, en chantant : "Approchez ! Gentes étoiles..."
– Approchez ! Gentes étoiles !
– Voilà ! Voilà ! L'Amiral s'était brusquement dressé devant l'entrée de la grotte.

– Ben ça, ça me fait chier ! Ça me fait chier. Hein, pourquoi ? Pourquoi que les flics ils l'ont viré ? Hein, pourquoi ?

Il était tout rouge. Nous venions de toucher à une cause grave.

— Ça dérangeait quoi qu'y danse sous les statues, hein ? Ça dérangeait quoi ? Hein ? Ben non, quand tu marches dans la rue Paccard, il faut que tu marches droit. Hein, que tu marches droit.
En même temps, tout en titubant sur place, il montrait du bras, de façon un peu vacillante, la trajectoire à suivre.
— Droit ! De toutes manières, t'as qu'à filer droit ! Hein ! C'est pas compliqué, si tu veux pas qu'on t'emmerde, t'as qu'à filer droit. C'est pas compliqué, hein ? Droit.
— Faut filer droit, faire comme on t'a appris à l'école. Hein ! Droit ! Toujours droit. Hips !... du moment que tu bosses, hein, t'entends, du moment que tu t'acoquines avec une morue qui va te faire chier toute ta vie, hein, et que tu vis bien rangé dans des maisons pourries toutes pareilles, coincé entre ta bagnole et ton caddie de supermarché, hein, à attendre le soir à la télé pour voir les mêmes têtes de cons, hein et pis faire des chiards encore plus cons que toi, hein, c'est pas vrai c'que j'dis, hein et pis filer droit au cimetière, hein droit, toujours droit, hein ! Hips !... et pis après y te disent tous ces connards de la politique, l'administration, les instruits, tous ces guignols qui vivent

dans le château fort, hein, putain, et pis ces saloperies d'huissiers, de flics, tous ces machins qui te mettent le couteau sous la gorge si t'es pas d'accord, hein tu sais ce qui te disent les châtelains, ben que c'est ça la vie ! C'est ça !!!

– T'entends ? La vie c'est ça et encore on s'en sort bien, parce que c'est la démocratie, hein, c'est nous qu'on a le pouvoir, mine de rien !... L'est pas con celui qu'a inventé ça : faire croire aux gens que c'est eux qu'ont le pouvoir. Z'ont plus qu'à fermer leur gueule ! De toute façon, si t'es pas content, y'a la morale. Ah putain, la MORALE ! Saloperie de saloperies ! C'que j'dis, c'est pas moral. Qu'un ministre y circule en superbagnole pendant qu'un type crève de froid dans la rue, hein, c'est moral. Mais que le type qui crève de froid dans la rue, hein, traite le ministre d'enculé quand y passe, ça c'est pas moral. Et y finit au gnouf ! Hein ! Parce que le type qui crève de froid dans la rue et le ministre, y sont pareils tous les deux. T'entends, pa-reils ! C'est deux citoyens. Les mêmes, avec les mêmes droits. MAIS TU VERRAS JAMAIS LE MINISTRE TRAITER LE TYPE QUI CRÈVE DE FROID DANS LA RUE D'ENCULÉ ! Jamais. Alors c'est lequel le mauvais citoyen ?... Le plus grave dans tout ça, c'est que t'arrives au moment de crever, tu sais même plus qui t'es, hein, y t'ont tellement anesthésié avec leur discours de merde, que tu penses plus. Tu sais plus qui t'es. Un légume. TU PENSES PLUS. T'attends. De toute façon, t'as pas à te faire de soucis, y'a les experts qui pensent à ta place. "Pour être sûr que tu restes bien con !"

L'Amiral avait levé les bras au ciel en signe de rage et d'impuissance.

—... Et pis après tu danses sous des statues et tu te retrouves au poste pour trouble de l'ordre public, hein, putain de saloperie, l'ordre public, c'est fait pour que tous ces abrutis dans leurs baraques pourries y puissent regarder leurs conneries à la télé. Et après y tringlent Bobonne en pensant que c'est Raquel Welch. Faut pas les emmerder ceux-là, hein, c'est des bons citoyens ! Des gens normaux !... Des VEAUX, ouais !... Tu trouves ça normal de pas savoir le nom de ton voisin, mais de savoir par cœur la liste des abrutis qui ont bourré l'oignon de la dernière pétasse en vogue ? C'est normal de passer sa vie devant une boîte grise, alors qu'y a la planète entière autour ? Et pis après hein, c'est qui les cintrés, hein c'est qui ? Ben c'est nous ! Parce qu'on vit comme des vagabonds, hein ! C'est quoi la vie, hein ? C'est quoi la vraie vie ? J'vais te le dire moi, la vraie vie, ben, C'EST CE QU'ON FAIT LÀ ! C'est ça la vie ! Hein ! C'est pas nous qu'on est fou, hein, c'est tous ces cons ! Y vivent pas, y végètent ! Nuance ! Des végétaux c'est, des légumes. Société de Légumes ! Hein ! C'est eux les fous ! On dirait qu'on les a débranchés, c'est l'homme normal qu'est fou, tu m'entends ?

C'EST L'HOMME NORMAL QU'EST FOU !
... ET C'EST L'HOMME FOU QUI EST NORMAL !
HEIN, VOUS M'ENTENDEZ, C'EST L'HOMME FOU QU'EST...

Il y eut un étrange bruissement, comme des bras qui battent l'air et Gérard bascula dans la face nord.

— *Amiral ! Amiral !*

Le Portos et moi étions à plat ventre sur la vire. La tête penchée sur le vide, nous hurlions dans la nuit sans réaliser ce qu'il venait de se passer.

Les ronds de nos lampes frontales se perdirent dans la face nord. Sans espoir, nous sondions le gouffre de leurs maigres rayons. La paroi que nous venions de remonter quelques heures plus tôt, luisante de verglas, semblait fuir à l'infini. Elle ne renvoyait rien qui puisse susciter le moindre espoir, rien que le vide et la nuit, qu'une insoutenable sensation de vertige, aggravée par notre état.

Au bout de quelques minutes d'insupportable et inutile recherche, nous nous étions allongés sur le dos, anéantis. J'aperçus quelques étoiles qui dansaient devant mes yeux. Une forme blanche tournait dans le ciel. Nous étions au Port de la Mer de Glace. La nuit était si lumineuse ! Des étoiles voletaient autour de nous, comme des papillons. L'Amiral était juste devant moi : il essayait d'attraper une bouteille qui flottait en l'air. C'était marrant, nous étions tous en apesanteur ! L'Amiral avait une tenue d'astronaute, blanche. Il flottait au-dessus du comptoir, toujours en train d'essayer d'attraper sa bouteille. Et puis la bouteille s'était sauvée par la porte dans la rue pleine d'étoiles.

Gérard avait plongé pour s'en saisir, avant qu'elle ne soit emportée par le flux de la rue. Non ! Non ! avait crié Fernando en tentant de le retenir par la main.

– Non ! Non ! Ne sors pas !

Mais l'Amiral, comme aspiré, avait disparu dans la grande nuit.

Râââ...

Un râle d'outre-tombe émergea de l'abîme. Râââ...

— Il est là !

Fernando, penché sur le vide, désignait un point précis. Quelques mètres au-dessous de nous, à plat ventre sur un champignon de neige, l'Amiral, les bras en croix, gisait inerte.

Je ne cherchai pas à comprendre pourquoi nous ne l'avions pas vu avant. Il fallait agir dans la seconde. Du plus vite que je pouvais, j'installai une corde fixe, y glissai à tâtons mon descendeur, un nœud autobloquant, et entamai la descente.
Avec la Gnôle du Vieux dans le cornet, la paroi semblait bouger.

Depuis que nous l'avions repéré, Gérard, lui, n'avait pas esquissé le moindre geste.
— Alors ? cria Fernando.
— Il a l'air d'avoir perdu connaissance.
J'abordais le petit amas de neige où reposait notre infortuné compagnon avec beaucoup de prudence, de peur de voir s'effondrer le fragile édifice. A genoux sur une dalle verticale, conscient des limites actuelles de mon équilibre, je tentai de l'aborder par en dessous.

Zip ! Malgré toutes mes précautions, j'avais brusquement pendulé sur la gauche : ma corde vint faucher le balcon de l'Amiral...

Comme, pendant le dérapage, j'avais fait moi-même volte-face, je me retrouvai face au vide, dos à la muraille, suspendu à la corde par mon nœud autobloquant.
Gérard m'atterrit dans les bras.
Notre position était des plus fâcheuses. Gérard était inerte et ne pouvait se raccrocher à moi. Je le tenais à bras le corps, c'était tout ce que je pouvais faire.

Je ne tiendrais pas longtemps comme ça. Mes bras commençaient déjà à tétaniser.
– Fernando ! Fernando ! ! Envoie une autre corde ! Vite !

Malgré l'obscurité dans laquelle il était plongé, Fernando réussit à m'envoyer une corde libre presque aussitôt.

Lâcher une main ! Je devais coûte que coûte lâcher une main pour mousquetonner Gérard !

Mes jambes ne m'étaient d'aucun secours tant la paroi était glissante. J'essayai de libérer ma main gauche... Le corps inconscient de l'Amiral bascula lourdement sur le côté. J'usai le peu d'énergie qui me restait à le récupérer. Du bout des doigts. C'était maintenant sûr, il allait m'échapper...

Encore cette vision... l'Amiral qui s'envolait dans la nuit étoilée, comme un cosmonaute. J'avais lâché.

Clic ! Pendu d'une main à ma corde, Fernando était à côté de moi et venait de mousquetonner Gérard. Déjà il remontait à la niche. Dans la seconde qui suivit, je sentis la corde se tendre et l'Amiral s'éleva dans les airs.

Toujours inerte, Gérard reposait dans notre petite niche.
— C'est pas grave, dit le Portos, sapeur-pompier volontaire à Val-Misère, il a juste dû donner un bon coup de boule dans le rocher ! Regarde cette bosse !
Il lui frictionna le visage avec de la neige en lui administrant de petites claques.

– Gérard ! Gérard ! Oh ! Oh ! Tu m'entends ?
Fernando lui parlait dans l'oreille en lui prenant le pouls.
– Gérard ! Gérard ! Réveille-toi !

L'Amiral commençait à reprendre des couleurs.
Il ouvrit un œil.
– Alors, tu voulais déjà redescendre ? Si près du sommet ?
L'air complètement hagard, il semblait faire de terribles efforts pour comprendre ce qui s'était passé. Il s'humecta plusieurs fois les lèvres avant d'ouvrir la bouche. Son premier mot fut tout à l'honneur de sa profession :
–... soif...

XII

— *Fait pas chaud.*

Comme tous les matins, l'agréable odeur du café de Fernando nous cueillit au réveil.

Le froid était plus vif que les autres matins mais la brume semblait moins dense.

On devinait qu'au-dessus de nous, après un dernier mur assez raide, la paroi se couchait enfin et se perdait dans les nuages.

— Putain !... avec toutes ces conneries, cette nuit j'ai rêvé des Dorées !

Le boulanger nous racontait souvent ses rêves

—... elles ont de ces nibards !

Gérard annonça qu'il se sentait en pleine forme.

Les rixes nocturnes des bars bretons l'avaient habitué aux K. O.

Simplement, il ne se rappelait plus de rien.
—J'ai pas cassé de bouteilles au moins ? s'inquiéta-t-il, en fouinant dans son sac.
Nous bûmes notre café sans tarder, pressés de nous réchauffer dans l'action. Face aux difficultés, notre cordée avait atteint sa vitesse de croisière. Nous avalâmes les dernières résistances de la face avec une étonnante rapidité.

Bientôt la paroi s'abaissa nettement.
— Ça fait moins mal à la tête de regarder en haut, commenta Fernando.

Nous avions quitté le monde de la verticale. Était-ce la promesse du sommet ? Nous nous sentions des ailes.

L'air lui-même était plus léger. Au brouillard opaque de ces derniers jours, succédait une brume légère et cotonneuse, où flottaient de fugitifs rayons, annonçant la proche apparition du soleil.

Nous nous élevions avec grâce et agilité, comme des chamois. Il devait être à peine quatre heures lorsque nous atteignîmes l'arête sommitale.

Là, dans un petit couloir de neige encaissé entre deux éperons de granit, nous rappelant notre mission, apparaissaient quelques traces de Clint Eastwood. Il était toujours pieds nus, et il y avait toujours cette empreinte bizarre à côté de ses pas.

L'Amiral nous arrêta avec autorité :
— Stop ! chuchota-t-il. Il faut continuer en tellurique.
L'heure ne pouvait plus être à la discussion. Ce que disait l'Amiral était parole d'évangile.
Comme des pèlerins à l'entrée du temple, nous ôtâmes nos chaussures.
Gérard profita de cet arrêt pour venir se placer à la tête du commando. L'ascension reprit, un peu moins gracieuse : la roche était glacée.
C'était la première fois que je faisais de l'alpinisme hivernal pieds nus à trois mille sept cents mètres d'altitude. En file indienne, nous suivions une crête élancée qui montait vers la lumière, de plus en plus forte, nous donnant l'impression d'être des nageurs remontant vers la surface de l'eau.

La brume devint translucide. Comme cela se produit quelquefois à la limite des nuages, une auréole dorée se mit à cerner le contour de nos têtes.

— T'as vu ? me montra Fernando, très impressionné, sans se rendre compte qu'il était atteint du même phénomène.
—... T'as vu ? y'a l'Amiral qui se transforme en Bon Dieu !!
Il se signa et emboîta dévotement les pas du barman. Les atavismes religieux du Portugais revenaient aussi à la surface.
— Vite ! Vite ! dit Gérard.
Nous nous mîmes à bondir de bloc en bloc.
— Plus vite ! Plus vite !
L'Amiral était hystérique.
— Mais plus vite ! Bongu !

Nous volions vers la cime, les pieds comme du marbre, ignorant les règles les plus élémentaires de sécurité.

Il n'y eut bientôt plus de brume. Plus qu'une violente lumière blanche qui nous brûlait les yeux. Quelques rochers épars, dont le plus fier portait une petite statue de la Vierge, et un nouveau vide stoppa notre élan.
La montagne s'arrêtait là.
Nous étions au sommet.

Fernando ôta son casque d'aviateur et tomba à genoux devant la Vierge :
– Virge Maria ! Munto obrigadu ! Santa ! Santa Maria !

Le spectacle était extraordinaire. La cime des Drus affleurait juste des nuages et une immense mer de coton bordait la Terre jusqu'à l'horizon. Au-dessus d'elle, le soleil, comme une grosse étoile, semblait tout proche.

C'était tout ce qu'il restait du monde. Cet infini tapis blanc, le bleu du ciel et l'astre des jours.

Après tout ce temps passé dans l'ombre et la nuit, c'était un paysage d'une merveilleuse beauté, presque surnaturelle.
– Merde ! On a atterri au Paradis !

Fernando avait mal supporté le retour à la lumière… regardez ! Regardez ! Là ! JÉSUS !
Il pointait une main tremblante vers l'autre versant de la montagne.
Là se tenait Clint Eastwood.
Il marchait sur les nuages…

Je compris l'étrange empreinte qui bordait les traces de notre prédécesseur.

Une longue planche, qu'il avait encastrée sous un rocher, le portait maintenant au-dessus du vide de la face ouest.
Il s'avançait sur son invraisemblable tremplin, en costume de bain, balayant l'azur de ses longs bras maigres...

Encore deux pas.
Il avait pris son élan sans hésiter, et sauté souplement sur l'extrémité de la planche.
Il s'éleva dans les airs, plus haut que le soleil, sa fragile silhouette se découpant dans le ciel...
Une trouée s'ouvrit dans la brume. Deux mille mètres plus bas, la Mer de Glace déroulait ses vagues tranquilles.

XIII

*Pop !*Pop !

Le coup de tire-bouchon stoppa Clint Eastwood en plein vol. Il retomba lourdement sur son installation.

— Saint-Emilion Grand Cru 1955, annonça l'Amiral, emphatique.
Eastwood avait fait un quart de tour sur lui-même et nous regardait maintenant comme si nous débarquions de la planète Mars.
—... Château Grand-Mayne, continua Gérard en lui montrant la bouteille, autant dire que c'est pas de la piquette. En plus, c'est un magnum. Cadeau d'un capitaine de goélette, que j'avais coulé au 421.

Convaincu d'avoir affaire à une apparition, le philosophe de Val-Misère fit mine de repartir sur son perchoir céleste.

—... c'est gagné ! me souffla Gérard : l'extrémité du plongeoir se trouvait à présent sur sa droite!

Clint Eastwood s'immobilisa. Le temps s'immobilisa. Tout s'immobilisa. Légère, une petite brise secoua un instant l'air autour de nous, brève et fugitive comme le passage d'une étoile filante.

Le regard de Clint plongea une dernière fois vers les eaux troubles de la Mer de Glace. Quittant à regret sa planche de salut, il regagna ses habits, soigneusement pliés sur une pierre. Le plongeur des Drus se rhabilla en silence au bord du vide.

Fernando, remis de ses élans mystiques, avait sorti quatre verres.
— Eh bé ! Celle-là, on l'a bien méritée !
Le Bordeaux quitta en chantant toutes ces années d'attente.
Nous nous étions regroupés autour du sommet, pour déguster le précieux nectar. C'était un vin

extraordinaire. Chaque gorgée nous ouvrait les portes du ciel.
– Putain ! Y monte droit à la tête !
La dernière bouteille de notre voyage accompagna la courbe descendante du soleil.

Nous flottions sur la cime des Drus comme sur une île.

Au sud, l'archipel des Grandes Jorasses découpait sa côte tourmentée jusqu'à la Dent du Géant.

A l'ouest, le Mont-Blanc était la dernière terre visible. Non loin du sommet, un point lumineux clignotait sur la crête qui fermait l'horizon. Des caravanes devaient descendre de la Grande Dune, lourdement chargées. Les guides rêvaient déjà à l'oasis, au thé à la menthe pris sous les palmiers.
Le désert tombait dans la mer, comme un château de sable gagné par la marée. Un puissant vent d'ouest s'était levé. Des mouettes invisibles piaillaient dans la muraille austère du Grand Dru, plongée dans l'ombre.

Je regardai Fernando et Gérard qui discutaient en riant, assis sur la grève. Ils étaient rigolos avec leurs pulls marins et leurs pompons rouges. Gérard avait jeté une bouteille à la mer. Elle partit en dansant sur les vagues, emportée par le courant.

Soudain apparut à l'horizon un magnifique trois-mâts, toutes voiles déployées. Il naviguait vers nous à grande vitesse, jusqu'à remplir le ciel. Des créatures superbes couraient sur le pont, grimpaient dans les haubans, se balançaient en riant sur les vergues du grand mât.
—... Bongu, les Dorées ! souffla Fernando.
— Venez ! Venez les p'tits marins ! Ce soir il y a fête à bord !
Déjà, elles nous lançaient des cordages pour nous aider à rejoindre le pont du navire.

Nous nous étions levés comme un seul homme, pour saisir ces précieuses amarres. C'était des cordes en nylon, comme celles qu'utilisent les alpinistes. Des brins de cordes tout usés, blanchis par le temps...

— On lève l'ancre ?
L'Amiral, debout fièrement sur la cime des Drus, pliait notre corde comme un professionnel.

Il faisait grand beau. Le soleil était déjà haut au-dessus des Droites, mais la vallée était encore plongée dans l'ombre.
Ivres de fatigue, nous nous étions endormis à même les blocs inconfortables du sommet.
— En bas, j'en connais deux ou trois qui doivent commencer à crever la soif ! continua Gérard.
Il lovait la corde à grands mouvements, repoussant soigneusement tous les torons.
—… les cordes, heureusement qu'elles sont là !… Elles t'attachent au bateau, elles t'attachent à la montagne… Elles t'attachent à la vie !
Il était en peine forme.
—… c'est tout pareil, ça, la mer et la montagne, y'a des cordes, des nœuds, et pis des gens qui détachent tout et qui quittent le port. Y partent avec leurs cordes et y s'attachent au jour le jour, jamais au même endroit :

"La montagne, c'est jamais qu'une mer un peu dure. Ah ! Ah ! Des marins d'eau dure, voilà c'que c'est les montagnards ! Des marins d'eau dure !…"

Assis au bout de sa planche comme au bout d'une digue, les pieds battant le vide, Clint Eastwood regardait s'éloigner des bateaux imaginaires.

La Serpillière dormait encore, roulée en boule au pied de la Vierge.

— Café ? demanda Fernando.

Argentière, le 8 juin 1997

Crédits Images

Toutes les illustrations sont de Ronan Begoc
La photo de couverture est de John Norris

Merci

Jean Marie, Denis, Georgette, Jacques, Dédé, Loïc, Frédérique, Didier, Brigitte.

Achevé d'imprimer en novembre 2010 par
l'imprimerie Vasti-Dumas à Saint-Etienne (France)
Dépôt légal : décembre 1997
N° d'impression : V006437/00
ISBN : 978-2-91-175-508-8